Étude comparative des systèmes ju

Nayeli Gonzalez Roblero

Étude comparative des systèmes juridiques mexicain et colombien

ScienciaScripts

Imprint

Any brand names and product names mentioned in this book are subject to trademark, brand or patent protection and are trademarks or registered trademarks of their respective holders. The use of brand names, product names, common names, trade names, product descriptions etc. even without a particular marking in this work is in no way to be construed to mean that such names may be regarded as unrestricted in respect of trademark and brand protection legislation and could thus be used by anyone.

Cover image: www.ingimage.com

This book is a translation from the original published under ISBN 978-620-0-05519-4.

Publisher:
Sciencia Scripts
is a trademark of
Dodo Books Indian Ocean Ltd. and OmniScriptum S.R.L publishing group

120 High Road, East Finchley, London, N2 9ED, United Kingdom
Str. Armeneasca 28/1, office 1, Chisinau MD-2012, Republic of Moldova, Europe

ISBN: 978-620-7-27282-2

TABLE DES MATIÈRES

INTRODUCTION

L'objectif de cet article est de décrire la recherche académique développée pendant mon séjour à l'Universidad Santo Tomas Medellin, Colombie ; le sujet proposé était donc le suivant : Étude comparative entre les systèmes juridiques de la Colombie et du Mexique, afin d'obtenir une compensation pour les dommages causés aux personnes privées de liberté. Il a également pour objectif principal d'enrichir le projet de recherche de la thèse intitulé, violation du droit humain d'accès à la justice ; réparation du préjudice dans le cas d'Anibal, qui fait partie du Master, de l'Université Autonome du Chiapas, Mexique.

L'enquête proposée est très pertinente pour le système juridique mexicain, étant donné que dans l'État du Chiapas, au Mexique, les victimes injustement privées de liberté ne disposent pas, dans la pratique, d'outils juridiques efficaces pour obtenir la protection des droits de l'homme qui ont été violés à la suite de leur privation de liberté. En effet, bien que la loi générale sur les victimes existe, elle n'est pas applicable sous le seul prétexte qu'il n'existe pas de législation régissant l'indemnisation des dommages patrimoniaux et extra-patrimoniaux causés par l'État dans l'exercice du ius puniendi. Et bien que le droit à l'indemnisation soit garanti par la Grande Charte, ainsi que par les conventions et traités internationaux signés par l'État mexicain, il n'existe pas de système de responsabilité extracontractuelle de l'État, en particulier tel qu'il a été conçu en Colombie par le biais de la Constitution, de la loi et de la jurisprudence, dans l'intention de réaliser le droit à l'indemnisation des préjudices causés par l'État. Dans la présente étude, il est question, d'un point de vue juridique, de la charge du mandat selon la législation qui indique le cas particulier, selon la Constitution, la loi, la jurisprudence et les doctrines, et donc de connaître les régimes applicables au Mexique et en Colombie. Selon le plan de travail du séjour, le texte suivant est présenté à l'Université de Santo Tomas, Medellin, Colombie, qui se réfère uniquement au contexte juridique de la charge du mandat qui existe entre le Mexique et la Colombie et ainsi établir les critères que chaque pays doit appliquer pour le droit à la compensation.

PROLOGUE

Dans le cadre de cette réflexion académique, il est important de voir les actions et les omissions du mandat qui causent des dommages et des préjudices, tant immatériels que matériels, aux personnes privées de liberté. L'étude comparative de cette situation au Mexique et en Colombie offre une analyse critique de la situation au Mexique, en raison de l'absence d'un développement législatif et d'une structure judiciaire conformes à ce besoin ; la Colombie offre une expérience législative, doctrinale et jurisprudentielle à cet égard.

Il doit être clair que l'État, étant responsable de la production du dommage illicite, et par conséquent, devra procéder à une réparation intégrale, dans une approche fondée sur les droits de l'homme, c'est-à-dire que l'indemnisation ne portera pas seulement sur le dommage produit, qui découle de la privation de liberté, mais impliquera également le rétablissement du statu quo de la victime.

Chapitre 1

LES PRÉCÉDENTS DE LA RESPONSABILITÉ DE L'ÉTAT

1. Mexique et Colombie

Au Mexique, parler du système de responsabilité de l'Etat signifie identifier les principales règles et prouver sa justification. Il est également nécessaire d'incorporer le statut du principe de la responsabilité de l'Etat et les antécédents les plus importants selon (Pdrez, 2009). Nous partons de la réglementation générique de la responsabilité dérivée d'actes illégaux, ainsi que de la responsabilité stricte de l'État et de ses organes et agents, c'est-à-dire qu'avant la création de la loi fédérale sur la responsabilité de l'État, le code civil fédéral a été pris comme base.

Ensuite, la source de responsabilité de l'État est celle établie à l'article 1916, et fait référence au dommage moral, qui met l'accent sur l'effet qu'une personne peut subir dans ses sentiments, sa dignité et ses aspects physiques, ou dans la considération que les autres ont, il est nécessaire de souligner le (Codigo Civil Federal, 2016)[1] où il mentionne la présomption de dommage moral, et donc viole ou porte atteinte à la liberté ou à l'intégrité physique ou psychologique de la personne.

Selon le (Codigo Civil Federal, 2016), il décrit également qu'"un acte ou une omission illicite produit un préjudice moral et, de fait, la personne qui en est responsable aura l'obligation de le réparer", au moyen d'une indemnisation en argent en fonction du préjudice matériel, tant en responsabilité contractuelle que non contractuelle, et souligne l'obligation de réparer le préjudice moral qu'encourt la personne objectivement coupable, ainsi que l'État et ses agents publics, conformément au présent code. (Réformé dans le décret publié au Journal officiel de la Fédération le 10 janvier 1994). On peut déduire du texte ci-dessus que l'intention du législateur en le rédigeant était de préserver le droit de la personnalité, c'est-à-dire de garantir la jouissance des facultés et le respect du développement de la personnalité physique et morale, à travers la protection des valeurs intrinsèques de la dignité humaine.

Par conséquent, les règles sont essentiellement reprises dans tous les codes civils des trente-deux entités fédératives de la République[2]. D'autre part, l'État du Mexique fait référence à la culpabilité du gouvernement en matière de réparation des dommages moraux et de limites dans les actes illicites.

---

[1] Selon le code civil (2016), il est entendu que quiconque demande une indemnisation pour préjudice moral en raison d'une responsabilité contractuelle ou extracontractuelle doit prouver pleinement l'illicéité du comportement du défendeur et le préjudice causé par ce comportement.

[2] Par conséquent, l'indemnisation des dommages moraux ne peut être exigée du gouvernement, comme dans les cas d'Aguascalientes, Baja California, Chiapas, Durango, Hidalgo, Michoacan, Nuevo Leon et Sinaloa, bien qu'il faille souligner que Torres Herrera explique dans ses textes qu'il n'existe pas de législation spécifique régissant le droit à l'indemnisation, bien que les victimes dans cette situation se trouvent dans un état de non-défense, où il n'y a pas de protection de leurs garanties fondamentales.

En revanche, les lois d'autres États tels que l'État d'Aguascalientes, l'État de Baja California, l'État de Chiapas, l'État de Durango, l'État d'Hidalgo, l'État de Michoacan, l'État de Nuevo Leon et l'État de Sinaloa, excluent totalement l'État du versement d'une indemnisation pour dommages moraux. En ce qui concerne la responsabilité de l'État, la législation de certains États présente certaines particularités (Torres Herrera, 2004, p. 11). Il est éminemment négatif que les États susmentionnés ne soient pas obligés de répondre à la demande ou à la réclamation d'indemnisation des dommages moraux dus à la responsabilité contractuelle ou extracontractuelle, sous prétexte qu'il n'existe pas de loi établissant le droit à l'indemnisation du dommage.

Ensuite, elle mentionne qu'elle est de nature conjointe et solidaire dans le cas d'actes illégaux, et coïncide avec le Code civil fédéral et les codes civils de Baja California Sur, Coahuila, Distrito Federal, Guanajuato, Queretaro et Sinaloa.[3] La Magna Carta soutient maintenant que le fondement général de la responsabilité patrimoniale de l'État a atteint le niveau normatif le plus élevé au Mexique grâce à l'ajout d'un deuxième paragraphe à l'article 113. Selon Pdrez (2009), il explique qu'en raison de cette modification, la culpabilité naît et considère une activité administrative irrégulière, lorsqu'elle affecte les patrimoines des individus, donc ceux qui ont été reconnus comme ayant un droit public subjectif configuré une garantie individuelle, surmontant la tendance à réglementer la responsabilité patrimoniale.

Dans le Diario Oficial de la Federación du 14 juin 2002, un décret a été publié pour ajouter un deuxième paragraphe à l'article 113 de la Constitution, qui est entré en vigueur le 1er janvier 2004, dans la justification des raisons de la réforme constitutionnelle, où il est mentionné que le régime de responsabilité subsidiaire de l'État est archaïque, Le "Codigo Civil Federal (code civil fédéral) déclare qu'il est archaïque en ce qui concerne les dommages causés par ses fonctionnaires, et qu'il était donc nécessaire que cette responsabilité soit désormais objective et directe contre l'État" (Suprema Corte de Justicia de la Nacion, Tesis Isolada, 2005).

La norme constitutionnelle de la Magna Carta, 2004, explique le début d'un nouveau droit des individus à obtenir une indemnisation conformément à la loi, qui a été établie plus tard et dans les entités fédérales est attribué le pouvoir de créer la législation nécessaire de la responsabilité patrimoniale de l'État, selon Pdrez (2009) soutient que ces pratiques sont entrées en vigueur jusqu'au premier janvier de l'année deux mille neuf.

Le deuxième paragraphe de l'article 113 de la Constitution établit que la responsabilité financière de l'État pour les dommages causés à la propriété ou aux droits des particuliers, découlant de son activité administrative irrégulière, sera objective et directe, et d'autre part, la modification

---

[3] Dans les autres entités fédérales, la responsabilité de l'État n'est que subsidiaire, dans tous les cas.

constitutionnelle a été affirmée dans les postulats de la théorie du préjudice anti-juridique, (Pdrez, 2009, pp. 13-38).

Conformément au paragraphe précédent, M. Pdrez indique que la responsabilité patrimoniale de l'État établie à l'article 113 de la Magna Carta est devenue objective et directe, et que le droit public subjectif des personnes à demander une indemnisation conformément aux bases, limites et procédures prévues par la législation en découle.

Il existe également la loi fédérale sur la responsabilité patrimoniale de l'État, publiée au Journal officiel de la Fédération le 31 décembre 2004 et entrée en vigueur le 1er janvier 2005, qui régit le deuxième paragraphe de l'article 113 de la Magna Carta et précise quelles sont les entités publiques fédérales, qui peuvent générer la responsabilité patrimoniale de l'État et le régime de responsabilité patrimoniale pour obtenir le droit à l'indemnisation, et indique également que la Cour fédérale de justice fiscale et administrative sera chargée des procédures en la matière (Pdrez, 2009, pp. 1438)[4]

Or, selon la Magna Carta de 2005, le principe de la suprématie constitutionnelle a été réformé dans son article 113, deuxième paragraphe, et il est entendu que le député a établi les règles de procédure en la matière, et que l'État a pu se conformer à la loi. Etant donné que les conduites administratives irrégulières découlent de la responsabilité patrimoniale de l'Etat et qu'elle a été généralisée dans la responsabilité civile, dérivée d'actes illégaux, prévue de manière générale dans la législation civile, il est important de souligner que la responsabilité de l'Etat n'est pas limitée aux actes illégaux, mais qu'elle peut être étendue à d'autres actes.

Selon Hector (2006), malgré l'inclusion de la responsabilité civile objective et directe dans la Magna Carta et dans la législation fédérale sur la responsabilité patrimoniale de l'État, il est interprété que les personnes qui subissent des dommages, sans obligation légale de les supporter, également dans leurs biens et leurs droits en raison de l'activité administrative irrégulière de l'État, peuvent demander le droit à l'indemnisation, en devant seulement démontrer qu'il n'y a pas de base légale de justification pour légitimer le dommage. Il est nécessaire de souligner combien il a été difficile de développer le système de responsabilité patrimoniale de l'État au Mexique, en raison de l'échec de l'exercice de la fonction administrative dans le système juridique, à mesure que la présence de l'État dans la société s'accroît, ainsi que des problèmes complexes auxquels l'autorité doit faire face en matière administrative (Torres Herrera, 2004).

Colombie

En ce qui concerne l'évolution de la responsabilité de l'État, il est nécessaire de souligner les

---

[4] Le système juridique en matière administrative établit les procédures et la base du droit à l'indemnisation pour ceux qui, sans obligation légale de les supporter, subissent des dommages à leurs biens et à leurs droits en raison d'une activité administrative irrégulière de l'État.

différentes étapes qui ont été franchies, et qui peuvent également être abordées d'un point de vue temporel, en mettant l'accent sur l'analyse avant l'entrée en vigueur de la Grande Charte de 1991 et sur une autre après l'entrée en vigueur de la Constitution politique ; Dans cette Charte, le premier précédent explique la responsabilité indiquée par la Cour suprême de justice et admise par le Conseil d'État, et le second précédent explique l'étude de la responsabilité de l'État colombien, en ce qui concerne l'article 90, qui précise la Constitution de 1991. Il est également mentionné que "depuis le dix-neuvième siècle, la Cour suprême s'est montrée compétente en matière de responsabilité de l'État dans la Constitution de 1886" (Rivera Villegas, 2003), tandis que le Conseil d'État explique la question de la responsabilité de l'État et de la déclaration de nullité (Nader Orfale, 2010, p. 9).

De même, Nader Orfale, (2010), souligne que c'est à partir de 1964 que l'expédition du décret 528 a été transférée de la juridiction administrative contentieuse à la juridiction générale sur la question de la responsabilité de l'État, en similitude avec l'opinion de Pinzon, (2016), seulement des questions de droit privé, pour cette raison il était nécessaire de diviser l'étude de la responsabilité déclarée par la Cour suprême de justice et celle déclarée par le Conseil d'État.

Cependant, "les accords extraordinaires de l'arrêt de 1898, où les lignes directrices universelles de la responsabilité dans le Code civil ont été convenues" (Saavedra, Ordonez, 2015). En outre, je souligne que les normes qui régissent la responsabilité de l'État à l'égard des personnes sont fondées par la Cour, car il s'agit de la juridiction commune et connue pour traiter les conflits qui ont surgi (Pinzon Munoz, 2016). À mon avis, il est entendu que l'application de la théorie de la responsabilité du fait d'autrui en tant qu'argument visait à démontrer la responsabilité des personnes morales.

D'après ce qui précède, il a été démontré que l'État était responsable des actes de ses agents lorsque ceux-ci n'étaient pas appropriés ou lorsqu'il n'exerçait pas une vigilance rigoureuse à l'égard de ses actes. Ainsi, la Cour suprême a révélé les concepts de base de la responsabilité du fait d'autrui et a adopté la théorie de la responsabilité directe, qui était basée sur le Code civil, comme il a été démontré qu'à partir de l'arrêt de 1993[5] selon Pinzon, (2016) qui exalte la responsabilité du fait d'autrui la Cour suprême.

De même, la Cour a expliqué la responsabilité extracontractuelle de l'État en cas de défaillance du service, lorsque ce qui était indispensable était la défaillance de l'administration en tant que telle et non la faute personnelle de l'agent, et qu'elle passait donc à un niveau supplémentaire, l'État

---

[5] Elle explique également la théorie fondée sur la culpa in eligendo et la culpa in vigilando, qui a placé la responsabilité indirecte de l'État pour le mauvais fonctionnement des services publics dans le domaine de la responsabilité, (...), cependant, ce type de responsabilité ne correspond pas exactement à la responsabilité civile non contractuelle des personnes morales de droit public, mais plutôt dans ces cas, il n'y a pas de faiblesse de l'autorité ou d'absence de surveillance et de soin qui apparaît en raison des actions d'autrui, il est compris conformément aux arguments constitutionnels.

étant appelé à réparer les dommages (Rivera Villegas, 2003, p. 17).

De même, la Cour suprême de justice a contribué à la responsabilité de l'État au début, elle a commencé à déclarer sur la base de la norme, avec le temps elle est allée spécifiquement à la question avec les principes du droit privé, qui ont été les piliers pour développer la responsabilité de l'État[6] . Par conséquent, la responsabilité a été déclarée par le Conseil d'État et a accordé à la juridiction administrative contentieuse la compétence pour connaître des litiges relatifs à la responsabilité de l'administration (Rivera Villegas, 2003, p. 18).

Par conséquent, la jurisprudence administrative de (1991), explique que des progrès ont été réalisés dans les différents régimes de responsabilité, c'est pourquoi il est nécessaire d'observer ce qui est dit dans l'article 90 de la Grande Charte afin de savoir s'il y a vraiment eu un changement substantiel dans ce qui a été dit au sujet de la responsabilité de l'État. D'autre part, Riveras (2003) affirme que vingt-six projets ont été présentés à l'Assemblée nationale constituante, faisant référence à la responsabilité de l'État, mais qu'ils n'ont pas tous été considérés comme des principes, car nombre d'entre eux n'étaient pas axés sur cette question, étant donné que "l'introduction d'un article faisant référence à la responsabilité directe et objective de l'État était manifestement nécessaire" (Rivera Villegas, 2003). (Rivera Villegas, 2003, p. 20).

La Magna Carta, dans son article 90 de 1991, souligne qu'elle a un argument dans le concept de préjudice, et le définit comme le préjudice patrimonial qui affecte une personne, dans la mesure où elle n'a pas l'obligation légale de le supporter. D'autre part, "le constituant s'est fondé sur la responsabilité de l'État et dans le principe objectif de l'illégalité, ce qui est essentiel est l'existence d'un dommage illégal causé, contrairement à la théorie subjective, où l'important était le dommage illégal causé"[7] . (Rivera Villegas, 2003, p. 22).

Depuis l'émission de la Magna Carta de 1991, et l'actuel article 90[8] , indique l'obligation de l'État de compenser, et selon les idées déterminées par (Gomdz Sierra, 2010), que le précepte juridique est basé sur les sources de la responsabilité extracontractuelle de l'État. Par conséquent, (Rivera Villegas, 2003, p. 23) affirme que le fondement de la responsabilité patrimoniale s'applique au devoir de l'État

---

[6] De même, il est expliqué que la responsabilité de l'État ne peut être étudiée et décidée sur la base des normes civiles qui régissent la responsabilité non contractuelle, mais plutôt avec les principes et les doctrines du droit administratif en relation avec les différences substantielles qui existent entre ce droit et le droit civil, conformément aux matières qui régissent les deux droits, afin de poursuivre.

[7] De la même manière, l'analyse faite par Rivera (2003) est comprise, le régime exposé en matière de responsabilité patrimoniale de l'État ne se limite pas à son fondement au niveau constitutionnel, mais il incorpore également les nouveaux critères en la matière, Il résout également la situation qui, de nos jours, est considérée comme une insuffisance de la défaillance du service public, ainsi que les formes et les cas actuels de responsabilité patrimoniale, de même que le cas de la responsabilité pour dommages spéciaux.

[8] De même, la Constitution politique de 1991, dans son article 90, stipule que le gouvernement doit répondre patrimonialement des dommages illicites causés par son pouvoir.

de protéger et de garantir la protection effective des droits de l'homme, car ceux-ci ne peuvent être violés par des dommages et des préjudices qui altèrent l'égalité des citoyens face aux charges publiques.

En outre, il est nécessaire de souligner que l'un des " précédents les plus significatifs ayant donné naissance à la responsabilité de l'Etat est l'arrêt blanc[9] rendu en France par le Tribunal des conflits en 1873 " (Hector, 2006, p. 14). 14), le fondement de la responsabilité extracontractuelle de l'Etat est limité à partir du principe de la responsabilité civile en référence au Code Napoléon, comme pour amorcer la structure d'un régime spécifique de responsabilité de l'Etat, on considère que l'arrêt a été un moyen pour la jurisprudence d'établir des règles différentes de celles du code civil pour tenir l'Etat responsable de ses actions ou omissions, règles qui seront différentes de celles applicables aux particuliers. De même, "le développement jurisprudentiel consiste en différents régimes qui ont adapté la conception de la responsabilité de l'État social dans le cadre de l'État de droit et du fait qu'il doit également répondre de tous les dommages" (Meneses Mosquera, 2000).

Par conséquent, "la première étape a été l'évolution de la jurisprudence française sur la responsabilité de l'État et le Code civil" (Hector, 2006, p. 16). Il est mentionné qu'au sein de ce régime, la faute de l'agent présume la personne morale, cette idée correspond à la différence qui s'est développée dans la responsabilité civile par rapport à la responsabilité in eligendo in vigilando, puis deux thèses fondamentales, la responsabilité directe et la responsabilité indirecte, ont été conçues. Hector (2006) indique en quoi cela consiste :

Premièrement, la responsabilité du fait d'autrui

Il s'agit tout d'abord de la première reconnaissance des personnes morales, tant privées que publiques, fondée sur la faute encourue par le fonctionnaire ou l'employé de la personne morale en cas de dommages causés à des tiers dans l'exercice de leurs fonctions.

De même, Hdctor (2006) soutient dans sa thèse principale l'idée qu'une personne morale avait l'obligation de choisir ses agents et de les surveiller attentivement, de telle sorte que ceux-ci, en cas de faute dans l'exercice de leurs fonctions, affectaient la personne morale en considérant que celle-ci commettait également une faute, soit dans la faute d'eligendo, ce qui signifie, faute dans le choix, soit dans la faute de vigilando, ce qui s'entend dans la faute dans la vigilance (p. 18).

Selon l'illustre Nader, (2010) dans son avis, il explique que la déclaration était basée sur le droit civil (...) où la responsabilité indirecte des droits d'autrui est basée. Au contraire, la jurisprudence colombienne de 1898 ne reconnaissait pas la responsabilité des personnes morales en vertu du droit

---

[9] L'arrêt est important dans la mesure où il ouvre la voie à une juridiction spéciale pour juger les actions de l'État.

privé ou public, étant entendu que ni le code de Bello, ni d'autres législations du siècle précédent ne reconnaissaient la responsabilité.[10]

Deuxièmement, la responsabilité directe.

D'autre part, la juridiction ordinaire et civile, après son application de la thèse de la responsabilité du fait d'autrui a commencé à être censurée par différents secteurs de la société juridique, d'autre part (Nader Orfale, 2010, p. 5), signale plusieurs contradicteurs qui avancent les arguments de leur désapprobation de la thèse et du choix, selon les idées suivantes qui sont mises en avant :

1) Par ailleurs, le concept d'in eligendo avait ses opposants, car tous les fonctionnaires n'étaient pas choisis par l'État ; au contraire, certains étaient imposés par les associés, comme ceux qui étaient élus par le peuple.

2) Étant donné qu'il n'est pas possible d'opérer la rupture entre l'État et ses agents, puisque le premier, dans ses différentes formes d'action, doit nécessairement se matérialiser à travers les seconds, l'État est directement responsable des effets de ses actions.[11]

Conformément à ce qui précède, les tribunaux supérieurs de notre juridiction ont commencé à jeter les bases de la théorie de la responsabilité directe, plus précisément de la responsabilité pour ses propres actes.

En ce sens, la Cour suprême de justice a déclaré que la responsabilité civile pour actes illicites ne s'applique pas seulement à la personne physique, mais aussi à la personne morale pour les actes de ses représentants légaux et pléniers dans l'exercice de leurs fonctions. Ainsi, en exerçant leurs fonctions et pouvoirs, les représentants de la personne morale ont accompli des actes portant atteinte aux intérêts et surtout aux biens d'autrui, puisqu'ils sont tenus de réparer les dommages. Par conséquent, Nader Orfale, (2010), ajoute que les personnes morales sont responsables des actes accomplis par leurs agents dans l'exercice de leur fonction ou de leur position.

La Cour suprême de justice, qui jusqu'en 1964 était compétente pour connaître de ce type de procédure, modifie donc le critère de la responsabilité indirecte et affirme finalement que la responsabilité de l'Etat est directe, faisant allusion non plus à la Magna Carta de 1886, mais à la Constitution de 1991, la théorie de la défaillance du service étant alors le fondement principal de la responsabilité financière de l'Etat, (Nader Orfale, 2010, p. 6). 6) D'autre part, il faut souligner les

---

[10] En conséquence, la plus haute cour de justice administrative a présenté l'évolution de la responsabilité de l'État colombien, à travers la jurisprudence du Conseil d'État et de la troisième chambre du contentieux administratif, avec l'exposé du magistrat Jorge Valencia Arango.

[11] Dans le deuxième argument, la personne morale et ses agents ont commencé à être considérés comme un corps unique, de sorte que la faute de ses agents correspondait à la faute de l'État lui-même, et par conséquent le droit civil a été maintenu comme base, mais dans ce cas le point de départ était l'article 2341.

précédents du Conseil d'Etat, dans un premier temps, la jurisprudence a soutenu la position de l'irresponsabilité de l'Etat pour les actes de nature juridictionnelle.

Par conséquent, les premières étapes de la création d'une nouvelle théorie émergent, étant donné qu'elle serait basée sur une forme différente de responsabilité de l'État, et son analyse basée sur un jugement des actions de l'administration (Maryse, 2010).

Théorie de la faute ou de la défaillance du service.

Conformément aux conditions antérieures en Colombie, une thèse a été établie, basée sur la théorie du service public et que l'on retrouve également en Europe dans la période d'après-guerre, appelée théorie de la faute ou de l'échec dans le service, Nader (2010) explique l'imputation qui consistait à ce qu'une personne publique n'agisse pas alors qu'elle aurait dû le faire dans un cas donné.

Selon la jurisprudence du Conseil d'Etat, il ressort que les services fournis par la nation ou par toute autre entité de droit public sont défaillants " d'une part en donnant lieu à la déclaration de responsabilité et d'autre part en condamnant au paiement de dommages et intérêts " à tout moment lorsqu'ils sont fournis avec une déficience ou qu'un dommage est infligé à une personne " (Nader Orfale, 2010, p. 8), c'est-à-dire lorsque l'Etat fragmente le cadre des charges publiques soumises aux résidents colombiens.[12]

Par conséquent, la source commune de la responsabilité de l'État est mentionnée :

1. Une faute ou un défaut de service, par omission, retard, irrégularité, inefficacité ou absence de service, lorsque la faute ou le défaut n'est pas la faute personnelle de l'agent administratif, mais la faute ou le défaut du service ou la faute anonyme de l'administration.
2. Cela implique que l'administration a agi ou s'est abstenue d'agir, ce qui exclut les actes de l'agent, qui ne relèvent pas du service.
3. Par conséquent, un dommage implique la lésion ou la perturbation d'un bien protégé par le droit administratif, instruit avec les caractéristiques générales du droit privé pour les dommages indemnisables.
4. La relation de causalité entre la défaillance de l'administration et le dommage, au contraire, une fois que l'absence ou la défaillance du service a été démontrée, il n'y aura pas de place pour l'indemnisation.

De même, l'application du droit public est consacrée en matière de responsabilité administrative par

---

[12] En outre, par le biais d'une forme de jurisprudence, la plus haute Cour du contentieux administratif a élaboré certains aspects de la formation de la responsabilité de l'État, sur la base de la théorie de la faute, du manque ou de la défaillance de service, c'est-à-dire que lorsque l'État est dans l'exercice de ses fonctions, il encourt ce que l'on appelle le manque ou la défaillance de service, car il s'agit d'omissions et d'actions administratives.

la théorie de la faute ou du défaut de service, et " constitue de ce fait le fondement principal de la responsabilité de l'Etat jusqu'à l'entrée en vigueur de la Constitution de 1991 " (Nader Orfale, 2010, p. 9), tandis que la Constitution politique de 1991 fournit à la société juridique un nouveau critère de définition de la responsabilité de l'Etat à travers le concept de dommage illicite.

Ainsi, la théorie de la faute ou du défaut de service trouve son fondement dans le droit français, tandis que le dommage illicite est constitué en droit espagnol et que le support constitutionnel se trouve dans la Magna Carta colombienne, et d'autre part "l'illicéité du dommage comme critère pour établir la responsabilité de l'Etat trouve son fondement dans l'article 90 de la Constitution politique", (Nader Orfale, 2010, p. 10).

Conformément à l'article 90 de la Constitution, qui stipule que le gouvernement est responsable des biens à la suite d'un dommage illégal causé par le gouvernement, il est entendu que la notion de dommage illégal délimite le concept de lésion d'un intérêt légitime dans un bien, dans la mesure où la victime n'a pas l'obligation légale de le supporter ; Pour que la culpabilité d'un dommage illicite soit établie, deux conditions sont requises : l'existence d'un dommage illicite et que ce dommage soit imputable à une personne de droit public, de sorte que ces conditions constituent des éléments de culpabilité dans la théorie.

D'autre part, la Cour constitutionnelle et le Conseil d'État ont construit le processus d'argumentation jurisprudentielle qui, dans la mesure où ils expriment un soutien à la théorie du dommage illicite comme fondement de la responsabilité de l'État ; à partir des approches dont ils délimitent la marge dans l'essence même de l'illicite, ils ont inclus des éléments de nature normative, qui accompagnent les principes et les valeurs constitutionnels et qui contribuent également à la littérature sur le modèle de responsabilité[13] . (Nader Orfale, 2010, page 11).

D'après les instruments jurisprudentiels et doctrinaux mentionnés ci-dessus, on peut indiquer que la responsabilité fondée sur les dommages illicites constitue une avancée dans la reconnaissance des droits et des garanties de chaque individu, dont le développement est concentré dans le cadre national (Flores Trujillo, 2010), (Flores Trujillo, 2010), et d'autre part, la Constitution politique de (1991), souligne la responsabilité de l'Etat article 90 et est élevée au rang constitutionnel "dérivé des dommages antijuridiques qui sont imputables à l'Etat causés par l'action ou l'omission des autorités" (Maryse, 2010, p. 30), et l'interprétation de la Constitution de (1991), souligne la responsabilité de l'Etat article 90 et est élevée au rang constitutionnel "dérivé des dommages antijuridiques qui sont imputables à l'Etat causés par l'action ou l'omission des autorités" (Maryse, 2010, p. 30), et

---

[13] Le Conseil d'État, à l'article 90 de la Constitution, énonce un principe général de responsabilité pécuniaire de l'État qui couvre à la fois la responsabilité contractuelle et la responsabilité extracontractuelle et en déduit qu'il s'agit de deux éléments indispensables à la déclaration de la responsabilité pécuniaire de l'État.

l'interprétation de la responsabilité de l'Etat est basée sur le principe que l'Etat est responsable des dommages causés par l'action ou l'omission des autorités. D'autre part, le Conseil d'État, troisième section, ajoute que la responsabilité découle de la définition du dommage illégal, c'est-à-dire "lorsque la personne détenue avait le devoir légal de supporter une telle privation, indépendamment de l'illégalité de la décision qui lui a servi de base, bien que cette interprétation ait été connue des années après le règlement" (arrêt, 14408, 2006).

D'autre part, la première réglementation légale de la culpabilité du mandat pour des actions administratives irrégulières, visant les personnes privées de liberté, le décret-loi 2700 de 1991, est entrée en vigueur en 2001. Ensuite, "en 1994, la ligne jurisprudentielle a commencé à être établie par le Conseil d'État, qui est considéré dans ses arrêts comme un arrêt d'étape, et une première interprétation se manifeste dans l'arrêt fondateur"[14] (Gutidrrez, 2017), et ensuite dans l'arrêt de 1992 et l'arrêt de 1994 (Flores Trujillo, 2010)". Il convient de souligner que les avancées les plus récentes en matière de responsabilité de l'État pour privation injuste de liberté sont déclarées dans la sentence 11368 de 2006 ", (Maryse, 2010, p. 33) il est entendu que l'intervention du gouvernement est la première base pour le rendre responsable des dommages causés par ses actions ou l'omission de services publics.

En ce qui concerne l'article 90 de la Magna Carta (1991), le gouvernement a assumé la responsabilité des dommages illégitimes causés par des actions et des omissions administratives irrégulières et, en fait, a assumé la culpabilité et le mandat, manifestant ainsi la troisième section qui déplace le problème de la culpabilité de la conduite administrative et du fonctionnement irrégulier du service public.

L'article 90 de la Constitution (1991) explique que :

1. Elle établit une forme de responsabilité institutionnelle couvrant les dommages causés par toute autorité publique.
2. Il s'agit également d'un dommage illicite résultant d'une défaillance du service.
3. Enfin, elle doit être imputable, par action ou par omission, à l'autorité publique.

D'autre part, en ce qui concerne "l'arrêt Blanco Bananero de 1976, à l'origine de l'évolution de la responsabilité directe et indirecte, jusqu'au concept de défaut de service, de responsabilité stricte, de

---

[14] On entend par arrêts de principe ceux dans lesquels la Cour constitutionnelle cherche à définir le droit constitutionnel avec autorité ; Ces sentences sont à l'origine de changements dans la ligne, et du pouvoir que la Cour a de retoucher des décisions antérieures, c'est-à-dire que selon l'étude et l'analyse des questions réelles que les juges constitutionnels présentent, ils établissent des critères, d'autre part, par phrase dominante, il est expliqué qu'il s'agit généralement de décisions déclarées dans les années 1991-1992, la Cour profite de ses premiers arrêts de révision pour faire des interprétations puissantes et larges des droits constitutionnels, c'est-à-dire que ce sont ces arrêts qui contiennent des critères actuels et dominants, en effet la Cour constitutionnelle résout des conflits d'intérêts à l'intérieur d'un acte constitutionnel donné.

responsabilité sans faute" (Celemin, Reyes & Roa, Valencia, 2004, p. 5), Hector, (2006), argumente également sur les questions de la responsabilité ex-contractuelle de l'État depuis sa création jusqu'à son développement.

Responsabilité, (faute-faute). Défaillance du service, lien de causalité et dommages[15].

En ce qui concerne le dommage, il s'agit d'une atteinte ou d'un préjudice qu'une personne subit et qui peut être patrimonial ou extrapatrimonial. D'autre part, Hector (2006) affirme que le dommage doit répondre à certaines caractéristiques afin de générer une responsabilité, en d'autres termes, le dommage doit être certain, personnel, illicite et économiquement quantifiable. C'est-à-dire que le dommage illicite met l'accent sur la personne qui subit le dommage et n'a pas l'obligation légale de le supporter ; le préjudice qui est causé par l'action ou l'omission de l'administration n'est pas couvert par une cause de justification des impôts, en bref le dommage est estimé économiquement pour les effets de l'indemnisation (p. 28). De même, le lien de causalité, selon Meneses Mosquera, (2000), explique qu'il doit y avoir une relation causale entre le comportement de l'administration et le dommage produit, de telle sorte que ce dernier est une conséquence du premier, à cet égard Hector, (2006), prévoit que le lien de causalité prévaut dans la théorie de la cause efficiente entendue comme l'événement qui est apte à produire le dommage. (p.31)

La responsabilité extracontractuelle de l'Etat est comprise comme une obligation légale de l'Etat de réparer les dommages causés et elle traite d'une relation factuelle qui produit le dommage, par conséquent l'Etat sera le sujet actif du dommage et la victime le sujet passif qui le supporte, de telle sorte que "les auteurs et les tribunaux colombiens ont construit un système avancé de responsabilité de l'Etat, au point que le système de responsabilité de l'Etat comportait des règles de responsabilité stricte" (Meneses Mosquera, 2000, p. 8). (Meneses Mosquera, 2000, p. 8).

2. Contexto Juridico de Responsabilidad Patrimonial del Estado por Privacion de la Libertad en Mexico y Colombia.

Le Mexique est un pays composé de 32 États, une république fédérale multipartite avec un président élu et un corps législatif bicaméral, et le gouvernement fédéral représente les États-Unis du Mexique et est divisé en trois branches, exécutive, législative et judiciaire, conformément à la Constitution politique des États-Unis du Mexique de 1917. Par conséquent, il a incorporé dans le système juridique un mécanisme de responsabilité "objective et directe" à partir de 2002, afin d'indemniser les particuliers pour les dommages causés par l'activité administrative irrégulière de l'État, tel qu'il découle du deuxième paragraphe de l'article 113 de la Constitution et de sa loi réglementaire qui

---

[15] Il ressort de ce qui précède que les notions de via de facto et de fonctionnement de l'administration sont opposées l'une à l'autre. On dit que l'action de l'administration doit être irrégulière, puisque le régime est basé essentiellement sur la défaillance du service, nonobstant les dispositions de l'article 90 de la Constitution politique en vigueur.

maintient certaines restrictions dans son application ; En outre, la responsabilité objective découle de l'activité exercée par la personne, tandis que la responsabilité subjective découle du comportement omissif, mais la Constitution la qualifie d'objective et directe, sur la base de la réforme de l'article 113 de la Constitution, en particulier en ce qui concerne la responsabilité de l'État pour les dommages causés aux biens et aux droits des particuliers. (Mosri Gutidrrez, 2015, p. 5).

De plus, avec l'adoption du nouveau paradigme en matière de droits de l'homme par l'État mexicain, la réforme constitutionnelle de 2011 indique qu'il est nécessaire de repenser son application, et depuis la publication de la loi générale sur les victimes en 2013, elle offre aux individus des mesures de réparation supplémentaires pour les cas dans lesquels ils ont subi des dommages ou une mise en danger de leurs biens juridiques ou de leurs droits à la suite de la commission d'un crime ou de violations de leurs droits de l'homme. En ce qui concerne la réforme constitutionnelle (2011), les droits de l'homme élèvent les traités internationaux au rang constitutionnel, car l'inclusion de la réparation du préjudice dans le premier article "établit comme une ligne directrice fondamentale dans le cadre de l'étude et de l'analyse des droits" (Esparza Martinez, 2015). (Esparza Martinez, 2015). D'une part, il "établit l'obligation de l'État de réparer les dommages causés par les violations des droits de l'homme et, d'autre part, il élève les traités internationaux au rang constitutionnel" et oblige le juge à étudier et à conceptualiser la réparation du préjudice. (Mosri Gutidrrez, 2015, p. 6).

Par conséquent, les arrêts rendus par la Cour interaméricaine des droits de l'homme ont condamné le Mexique, comme Gonzalez y Otras (Campo Algodonero) c. Mexique et Radilla Pacheco c. États-Unis du Mexique. En fait, Mosri, Gutidrrez, (2015), déclare qu'au cours des six dernières années, l'agenda public promu par la société civile contre la violence au Mexique a publié la loi générale sur les victimes, qui reconnaît et garantit les droits des victimes de crimes et de violations des droits de l'homme et prévoit également des mesures de restitution, réhabilitation, indemnisation, satisfaction et garanties de non-répétition par l'État et en faveur des victimes, en conséquence "qui accréditent dans les termes de la Loi, le dommage ou la perte de leurs droits dans leurs dimensions individuelles, collectives, matérielles et morales, et en conséquence qu'ils sont réparés de manière intégrale" (Mosri Gutidrrez, 2015, p. 9), en congruence, dans le sens que "l'État est responsable de la réparation des droits des victimes" (Mosri Gutidrrez, 2015, p. 9). Le paragraphe 9), en accord avec la réforme constitutionnelle de 2011 sur les droits de l'homme, démontre que le Mexique a reconnu la prévention, l'investigation, la sanction et la réparation des violations des droits de l'homme dans les termes de la loi.

Chiapas

Par conséquent, Castro Estrada, (2017), souligne que le droit à l'indemnisation ou à la réparation est l'obligation légale de l'État de compenser les préjudices produits à la suite d'une activité administrative irrégulière ou dommageable dans le patrimoine des particuliers et qui n'ont pas l'obligation légale de la supporter, c'est ce que l'on appelle l'indemnisation.

Compte tenu de ce qui précède, dans l'État du Chiapas, au Mexique, situé dans le sud du pays, la loi générale sur les victimes ne s'applique pas, bien qu'un règlement interne soit nécessaire pour son application, et il n'existe donc pas de législation au niveau local qui réglemente le droit à l'indemnisation, compte tenu de ce problème " les dommages causés à la propriété et aux droits des particuliers par une activité administrative irrégulière ne sont pas réglementés " (Castro Estrada, 2017, p. 11). Par ailleurs, il existe une loi fédérale sur la responsabilité patrimoniale de l'État qui ne prévoit pas de régime applicable à l'État, et il convient de mentionner que les entités publiques de l'État du Chiapas ne sont pas compétentes en vertu de la loi susmentionnée.

D'autre part, la Constitution politique des États-Unis du Mexique reconnaît, à l'article 113, deuxième paragraphe, le droit des particuliers à obtenir une indemnisation équitable "dans le cas où l'État cause des dommages à ses biens, matériels ou immatériels, à la suite d'une activité administrative irrégulière de ses fonctionnaires" (Castro Estrada, 2017, p. 17). 17), de manière à ce que l'interprétation soit considérée conformément au principe pro persona en vertu du deuxième paragraphe de l'article 1 de la Constitution, et lorsqu'il n'y a pas de loi dans l'État, cela est appliqué de manière complémentaire, car il n'y a pas de législation sur la responsabilité patrimoniale de l'État.

En ce qui concerne les personnes qui introduisent une demande administrative pour obtenir le droit à l'indemnisation, elles rencontrent des limitations et des obstacles, en raison de l'attitude passive des administrateurs de la justice, qui se déclarent incompétents, il y a des retards dans la procédure, ils nient l'acte revendiqué, il n'y a donc pas de législation qui garantisse le droit à l'indemnisation, d'autre part les médias ne font pas connaître la situation réelle que ces personnes présentent à la société, en raison de l'influence du gouvernement sur les médias. Une fois que tous les recours internes ont été épuisés, il est possible d'activer les mécanismes internationaux. Dans cette situation, dans l'État du Chiapas, au Mexique, il est nécessaire de mettre en œuvre des modèles de protection juridique qui garantissent le droit à l'indemnisation. Actuellement, il existe des modèles systématiques de violation des droits de l'homme à l'encontre des victimes qui ont été privées de leur liberté en raison d'une activité administrative irrégulière, et par conséquent, l'accès à la justice est recherché afin d'obtenir le droit à l'indemnisation.

Colombie

Actuellement, ce pays est constitué d'un système présidentiel et d'un État unitaire, tandis que la Magna Carta (1991) établit une division des pouvoirs entre les pouvoirs exécutif, législatif et judiciaire ; il est également organisé territorialement par des départements, des municipalités et des districts principalement. D'autres divisions spéciales sont les provinces, les entités territoriales indigènes et les territoires collectifs.

Ensuite, depuis 1991, avec l'adoption de la Charte politique et surtout de l'article 90, le concept de "dommage illicite" est le fondement de la responsabilité patrimoniale de l'État, ce qui a donné lieu à une variété de critères, d'opinions et de théories sur le type de responsabilité qui occupe la norme constitutionnelle, c'est-à-dire le régime de responsabilité établi par l'article 90 de la Charte politique.

Selon ce qui précède, en premier lieu, la classification constitutionnelle colombienne était basée sur un principe général de responsabilité contractuelle et non contractuelle de l'État, et à cet égard dans la Magna Carta (1991), l'article 90 stipule que le gouvernement doit répondre pour les dommages illégitimes attribuables, c'est-à-dire, sans faire de distinctions, il a ouvert l'événement pour exposer de manière responsable le mandat pour les actifs, "y compris le pouvoir judiciaire, pour les actions ou omissions qui causent des dommages aux individus" (Prato Ramirez, 2016). (Prato Ramirez, 2016). De même, Gonzalez Noriega, (2017), souligne que la base de la responsabilité patrimoniale de l'État se trouve dans l'article 90 de la Grande Charte, qu'il s'agisse de la responsabilité contractuelle ou extracontractuelle.

Selon la législation colombienne, conformément aux dispositions du statut de l'administration de la justice, la loi 270 (1996), stipule que l'article 65 consacre la possibilité pour le juge d'État d'être impliqué dans la responsabilité non contractuelle, pour l'exercice de ses fonctions, de trois manières différentes : i) les personnes injustement privées de leur liberté, ii) les défendeurs condamnés par erreur et pour l'application incorrecte de la justice par les administrateurs du pouvoir, "ce qui souligne l'entité normative de ce titre d'imputation". (Pinzon Munoz, 2016).

D'autre part, dans sa jurisprudence, la plus haute Cour du contentieux administratif a esquissé, en ce qui concerne les événements où la culpabilité du gouvernement et du juge est discutée, "un dogme qui, aujourd'hui, est guidé, en termes généraux, par la théorie du dommage spécial" (Pinzon Munoz, 2016, p. 184), c'est-à-dire qu'en vertu d'une formule d'imputation objective, étant une activité légitime exercée par les organes de l'État qui ont pour mission de poursuivre la criminalité, elle cause parfois des dommages que les administrés ne sont pas obligés de supporter. 184), c'est-à-dire qu'en vertu d'une formule d'imputation objective, étant une activité légitime exercée par les organes de l'État dont la mission est de poursuivre la criminalité, elle cause parfois des dommages que les administrés ne sont pas obligés de supporter.

D'après ce qui précède, " la Colombie considère que la responsabilité de l'État en matière de privation injuste de liberté fait l'objet d'une réparation administrative " (Prato Ramirez, 2016, p. 13), à propos de laquelle l'État a encouragé, par l'intermédiaire de différents organismes et entités, l'élaboration de lignes directrices et le regroupement des aspects de la privation injuste de liberté, afin d'atténuer le paiement d'importantes sommes d'argent au titre de l'indemnisation.

Dans sa thèse, Prato Ramirez, (2016), affirme que l'État colombien est actuellement confronté à d'innombrables poursuites administratives de nature patrimoniale pour des cas de privation injuste de liberté, et à " la faible politique pénale et d'enquête des opérateurs judiciaires, qui utilise la détention préventive comme une peine anticipée qui conduit à des poursuites ultérieures contre l'État ". (Prato Ramirez, 2016, p. 14).

Selon Gonzalez Noriega, (2017), lorsqu'il y a une détention injuste, il y a une responsabilité patrimoniale de l'État, et il explique également que la détention est injuste lorsqu'un individu a été privé de sa liberté et ensuite acquitté, ce qui est une situation de dommage qu'il n'est pas légalement obligé de supporter, Prato Ramirez, (2016), affirme également qu'une détention injuste ne nécessite pas d'examiner la légalité ou l'illégalité de la conduite de l'État, mais qu'il est nécessaire d'examiner la situation dans laquelle la victime se trouve après avoir subi une condamnation injustifiée et dérivé un dommage illégitime attribuable au gouvernement.

3. Privation de liberté en raison de la responsabilité de l'État et droit à réparation dans les instruments internationaux et les réglementations au Mexique et en Colombie

Mexique

Depuis le onze juin deux mille onze, le Mexique dispose d'un nouveau texte constitutionnel sur les droits de l'homme qui sont reconnus, protégés, respectés et garantis dans le système juridique mexicain et en particulier le droit à l'indemnisation dans la Convention américaine des droits de l'homme, (1969), stipule que toute personne a le droit d'être indemnisée conformément à la loi dans le cas où elle a été condamnée ; et en outre, il est basé sur l'article 10, et dans " les articles 8 et 25 sont associés sur les garanties judiciaires et la protection judiciaire des droits de l'homme " (Cour interaméricaine des droits de l'homme, 2017). (Cour interaméricaine des droits de l'homme, 2017), ces deux articles s'appliquent à toute situation dans laquelle le contenu et la portée des droits de tout individu soumis à la juridiction de l'État sont déterminés. Selon le Pacte international relatif aux droits civils et politiques, aux articles 9 et 14, il s'agit de la liberté, de la sécurité de la personne et de l'égalité devant les tribunaux et les cours de justice (OEA, 2017).

D'autre part, la Déclaration universelle des droits de l'homme, dans ses articles 1, 8 et 9, "souligne le droit à un recours effectif devant les juridictions nationales compétentes pour les actes violant les droits fondamentaux reconnus par la Constitution" (Nations Unies, 1965). En ce qui concerne la Déclaration américaine des droits et devoirs de l'homme, "l'article XVII stipule que toute personne doit être reconnue comme sujet de droits et d'obligations et doit jouir des droits civils fondamentaux" (OEA, 2017). (OEA, 2017).

Les articles 1, 14, 16, 17, 20 et 21 de la Constitution font référence à la régularité de la procédure, à la légalité et à l'accès à la justice, et l'article 113 stipule que le fondement de la responsabilité patrimoniale de l'État est objectif et direct. Quant à la loi fédérale sur la responsabilité patrimoniale de l'État, elle régit le deuxième paragraphe de l'article 113 de la Constitution, dans la mesure où les entités publiques sont soumises à cette loi pour les dommages, en effet, cette loi s'applique en plus des diverses lois administratives, donc l'indemnisation pour la responsabilité patrimoniale de l'État découle de l'activité administrative irrégulière et des montants de l'indemnisation, et quant à la "procédure de la demande Loi fédérale sur la responsabilité patrimoniale de l'État" (Departamento de Documentation Legislativa-SIID, 2014).

D'autre part, la loi générale sur les victimes fait référence au droit des victimes de violations des droits de l'homme, et à l'article 10, le droit d'accès à la justice, il est entendu que les victimes ont droit à un recours judiciaire devant les autorités qui leur garantit l'exercice de leurs droits d'une manière rapide, proportionnelle et équitable, À l'article 12, section 11, les victimes jouissent de leur droit à la réparation des dommages, puis à l'article 61, il est fait référence aux mesures de restitution, c'est-à-dire que les victimes ont droit à la restitution de leurs droits violés, et à l'article 73, section IV, il est fait référence à des excuses publiques.

Enfin, il fait référence au "Droit de la victime ou de la personne offensée, le type de violation qualifiée, dans le paragraphe suivant mentionne, h) Refus, restriction ou entrave à la détermination et/ou à l'exécution de la réparation du dommage". (Catalago para la calificacion e investigacion de violacion a Derechos Humanos de la Comision Nacional de Derechos Humanos del Distrito Federal, 2017).

Colombie

En ce qui concerne la question de la responsabilité de l'État, il est nécessaire d'indiquer que la Cour constitutionnelle a introduit la notion de bloc constitutionnel et qu'en outre, pour la première fois en 1995[16] , la Constitution colombienne prévoit, dans son article 93, que les traités et conventions

---

2. Structure et fonctionnement du système judiciaire au Mexique et en Colombie

Tout d'abord, en ce qui concerne le Mexique, la structure et la fonction du pouvoir judiciaire fédéral et du pouvoir judiciaire de l'État sont expliquées et divisées en deux parce qu'il s'agit d'un pays fédéré. Selon la Constitution (1917), chaque État a sa propre législation et structure, c'est-à-dire les pouvoirs exécutif, législatif et judiciaire, et est constitutionnellement responsable de l'administration de la

internationaux ratifiés par le Congrès reconnaissent les droits de l'homme et interdisent les limitations dans les états d'exception, et qu'ils prévalent également dans l'ordre interne. Les droits et les devoirs qui y sont inscrits sont interprétés conformément aux traités internationaux sur les droits de l'homme conclus par la Colombie, selon la Cour interaméricaine des droits de l'homme de 1979.Ainsi, la Convention américaine relative aux droits de l'homme, signée à San Josd de Costa Rica le 22 novembre 1969 et entrée en vigueur en 1978, ratifiée en juin 1973, dont l'article 10 prévoit que toute personne a le droit d'être indemnisée conformément à la loi en cas de condamnation définitive pour erreur judiciaire, étant donné que les règles du droit international peuvent être intégrées dans le système juridique colombien de trois manières : (i) au rang constitutionnel ; (ii) au rang supra-légal ; ou (iii) au rang de la loi. La règle générale est la Constitution colombienne de 1991 et, bien entendu, le droit international acquiert le statut de loi dans le système juridique colombien, à moins que la Constitution n'en dispose autrement.D'autre part, le Pacte international relatif aux droits civils et politiques a été ratifié par la Colombie le 29 octobre 1969 et est entré en vigueur le 23 mars 1976. L'article 9, paragraphe 1, stipule que toute personne a droit à la liberté et à la sécurité, ce qui signifie que nul ne peut être soumis à une détention ou à un emprisonnement arbitraire ; l'article 14 stipule que les personnes sont égales devant les tribunaux et les cours de justice. Conformément à ce qui précède, la privation de liberté ne peut être effectuée que conformément aux procédures prévues par la Constitution ou la loi, et constitue une privation illégale de liberté, qui est interdite tant au niveau national qu'international.

En conséquence, la Déclaration universelle des droits de l'homme est adoptée et publiée par l'Assemblée générale dans sa résolution 217 A (III) du 10 décembre 1948, et selon les articles 1, 8 et 9, elle fait référence à la liberté, à l'égalité, aux droits effectifs et aux recours devant les tribunaux, et que nul ne peut être arbitrairement détenu, emprisonné ou exilé. En outre, la "Convention européenne des droits de l'homme, dans son article 5, mentionne que toute personne victime d'une détention préventive et qui se trouve engagée dans des actions contraires aux dispositions de cet article a droit à réparation" (Nations unies, 1965). (Nations Unies, 1965) Selon la Constitution politique en vigueur, article 90, l'Etat répondra patrimonialement des dommages causés par l'action ou l'omission des autorités publiques, de même la Constitution colombienne se décrit comme un Etat social basé sur le respect de la dignité humaine et dans son article deux, elle mentionne les autorités de la République qui sont responsables des dommages causés par l'action ou l'omission des autorités publiques, elle mentionne les autorités de la République qui sont désignées pour protéger les résidents de la Colombie, dans leur vie, leur propriété et leurs autres droits et libertés, pour assurer le respect de l'État

---

justice, qui est régie par les principes les plus élevés régissant la conduite des juges : l'honnêteté, l'objectivité, l'impartialité, l'indépendance, le professionnalisme et l'indépendance.

et des individus et pour maintenir un équilibre qui garantisse la loi et la paix sociale, "il est également mentionné que toutes les personnes naissent libres et égales devant la Charte, article 13" (Constitution politique de la Colombie). (D'autre part, la loi 270 de 1996 fait référence à "la responsabilité de l'État et la privation injuste de liberté" (Estatuaria Administration de Justicia, Ley 270,1996) et mentionne que le régime de responsabilité subjective a été établi, ce qui implique la détermination de la privation injuste par laquelle le régime devient objectif et enfin le Codigo de Procedimiento Administrativo y de lo Contencioso Administrativo (Code de Procédure Administrative et de Contentieux Administratif).

Chapitre 2

COMPÉTENCE JUDICIAIRE DU MEXIQUE ET DE LA COLOMBIE transparence, ces principes permettent l'exercice des attributions de chacun des organes juridictionnels et administratifs qui les composent.

La structure du pouvoir judiciaire fédéral selon la législation mexicaine de (1917), explique que la Cour suprême de justice de la nation, est la plus haute juridiction du Mexique, et correspond également à la défense de l'ordre établi dans "la Magna Carta pour équilibrer les différents pouvoirs et organes du gouvernement et résoudre les questions judiciaires, par le biais de résolutions juridictionnelles" (Revista Juridica Unam, 2013). (Revista Juridica de la Unam, 2013). Par conséquent, étant donné qu'il s'agit de la principale et de la plus haute juridiction de nature constitutionnelle, aucun organe ou autorité supérieur ne peut s'opposer aux décisions du pouvoir judiciaire fédéral, comme l'expliquent chacune des sections et chacun des domaines dont il dispose :

En particulier, il est expliqué que le " Consejo de la Judicatura Federal (Conseil fédéral de la magistrature) vise à garantir l'administration, la surveillance, la discipline et la carrière judiciaire, qui permettent le fonctionnement des tribunaux de district et des tribunaux itinérants " (Revista Juridica Unam, 2013, p. 3). (Revista Juridica de la Unam, 2013, p. 3) Également le Tribunal électoral ; puis les Collegiate Circuit Courts ; également les Unitary Circuit Courts et enfin, elle ajoute "les District Courts, qui sont chargés de rendre la justice au sein de l'entité fédérale". (Revista Juridica de la Unam, 2013, p. 5).

L'exercice du pouvoir judiciaire de la Fédération est régi par l'article 94 de la Constitution et, conformément à ce qui précède, Garcia Ttilez (2016) affirme qu'il représente la protection des droits fondamentaux et la base qui règle les différends, entre les individus et entre les pouvoirs, pour le libre développement de la nation. D'autre part, le rôle principal qu'il joue est l'interprétation des principes et des valeurs contenus dans la Magna Carta, et en ce sens, il est compris comme "le contrôle de la régularité constitutionnelle des actes et des dispositions des autorités, puisque c'est la Constitution elle-même qui lui confère la fonction de rendre la justice". (Pouvoir judiciaire fédéral, 2016). En résumé, le seul pouvoir judiciaire indépendant des pouvoirs législatif et exécutif n'est pas gouverné par un organe unique, contrairement au pouvoir exécutif, qui est sous le commandement du président de la république, qui est sous le commandement du Congrès de l'Union, c'est un organe de contrôle, car c'est lui qui contrôle les lois et la justice de la nation.

L'organigramme de la structure du pouvoir judiciaire fédéral est présenté ci-dessous :

Diagramme 1, Système judiciaire fédéral du Mexique

Source : Poder Judicial de Mdxico, 2017.

En résumé, le pouvoir judiciaire de l'État du Chiapas est composé comme suit :

D'une part, la Cour constitutionnelle, les chambres collégiales régionales, les tribunaux de première instance, les tribunaux spécialisés dans la justice pour adolescents, les tribunaux de paix et de conciliation, les tribunaux de paix et de conciliation indigènes, les tribunaux municipaux, le Centre de justice alternative de l'État et l'Institut de défense publique. D'autre part, il est fait référence aux facultés, en relation avec l'article 63 de la Grande Charte de l'État du Chiapas au XXIe siècle, et au Code d'organisation, qui "fait référence au fait qu'il s'agit d'un organe directeur des critères juridiques d'interprétation et d'attribution" (Tribunal supérieur de justice de l'État du Chiapas). (Tribunal Superior de Justicia del Estado de Chiapas, 1973).

Selon la Constitution du Chiapas (2017), l'exercice des attributions est confié à une Cour supérieure de justice de l'État, d'abord au Conseil de la magistrature, puis au Tribunal de justice électorale et administrative, et enfin au Tribunal du travail bureaucratique, Les particularités de son organisation et de son fonctionnement sont prévues dans le Code d'organisation du pouvoir judiciaire, ainsi que dans les règlements internes qui existent pour chacun de ses organes. Par conséquent, la Haute Cour de justice de l'État est principalement dirigée par un magistrat président, qui est également le chef du pouvoir judiciaire de l'État.

(Tribunal Superior de Justicia del Estado de Chiapas, 1973, p. 2). La Constitution politique de l'État (2017) affirme également que le pouvoir judiciaire exerce ses attributions de manière indépendante par rapport aux autres pouvoirs et organes publics de l'État, avec lesquels il entretient des relations de coordination aux termes de l'article 14 de la Constitution du Chiapas, de même que les magistrats et les juges jouissent d'une autonomie et d'une indépendance totales dans leurs décisions.

Colombie

La Constitution (1991) stipule que les administrateurs de l'impartialité sont la Cour constitutionnelle, la Cour suprême de justice, le Conseil d'État, le Conseil supérieur de la magistrature, le procureur général de la nation, les tribunaux et les juges, qui constituent la branche judiciaire du pouvoir public.[17]

La loi 270 (1996) mentionne également l'élaboration des normes constitutionnelles susmentionnées et d'autres normes constitutionnelles relatives à l'administration de la justice, tandis que l'article 11 de la loi statutaire sur l'administration de la justice stipule que le pouvoir judiciaire est composé des juridictions et des organismes suivants :

1. Tout d'abord, la Constitution colombienne (1991) indique que la juridiction commune ou ordinaire est composée de la Cour suprême de justice, des tribunaux supérieurs du district judiciaire et des tribunaux civils, du travail, pénaux, agraires, de la famille et d'autres tribunaux spécialisés et de promiscuité.

2. Par conséquent, la Constitution politique explique la juridiction constitutionnelle, qui est chargée de garantir l'intégrité et la suprématie de la Constitution et qui décrit également l'intégration et le fonctionnement de la Cour constitutionnelle.

3. Ensuite, la juridiction de paix, qui est composée des juges de paix, déclare qu'elle est composée des juges de paix.

4. De même, la Constitution politique (1991) préconise la création d'un bureau du procureur général.

5. Enfin, la Constitution politique (1991) explique les fonctions de la juridiction administrative contentieuse, qui fait partie du Conseil d'État et de la Cour des comptes.

---

[17] La Fiscalia General de la Nacion est une entité centralisée au niveau national qui fait partie de la branche judiciaire du pouvoir public en Colombie. Créée par la Constitution de 1991, elle est chargée d'enquêter sur les crimes et de poursuivre les auteurs présumés devant les juges compétents.

Les tribunaux administratifs et les tribunaux administratifs chargés de régler les litiges de l'administration publique, conformément à l'article 104 du code de procédure administrative et du contentieux administratif, dans la mesure où il établit de juger les controverses ayant pour origine des actes et des faits administratifs des entités publiques.

Selon Rodriguez (1997), il ajoute que le Conseil d'État est la plus haute juridiction, et se réfère à l'article 237 de la Constitution sur les attributions du Conseil d'État et déclare ce qui suit :

1. Les tribunaux administratifs sont créés par la Chambre administrative du Conseil supérieur de la magistrature dans chaque circonscription judiciaire administrative.

2. Quant aux tribunaux administratifs, ils sont déterminés par la Chambre administrative du Conseil supérieur de la magistrature, conformément à l'article 197 de la loi statutaire, et la compétence des juges est établie dans le code de procédure administrative et du contentieux administratif.

Conformément à ce qui précède, nous pouvons exprimer graphiquement la structure de la branche judiciaire du pouvoir public au moyen de l'organigramme suivant :

Diagramme 2, Pouvoir judiciaire de la Colombie

SourceJudicatura, 2017 de la Colombie.

2.1 Régime applicable à la responsabilité de l'État au Mexique et en Colombie.

Mexique

Tout d'abord, Mosri, OиEёгге/, (2015), signale les régimes de responsabilité de l'État prévus dans la réforme de l'article 113 de la Constitution, qui a donné lieu à la loi fédérale sur la responsabilité de l'État, il est entendu que le système de responsabilité de l'État au Mexique est encore pleinement en vigueur aujourd'hui au niveau fédéral au profit des Mexicains, ce qui n'est pas applicable aux États fédéraux, mais relève uniquement de la compétence fédérale. De même, Mosri Gutiërrez, (2015), indique que depuis 2002, la responsabilité patrimoniale de l'État en cas d'activité administrative irrégulière a été intégrée au système juridique de responsabilité objective et directe pour indemniser les particuliers des dommages causés par l'activité administrative irrégulière de l'État dans le deuxième paragraphe de l'article 113 de la Constitution et la Loi fédérale de responsabilité patrimoniale de l'État (Ley Federal de Responsabilidad Patrimonial del Estado).

D'autre part, il existe d'autres modalités de réparation du préjudice qui, depuis la publication de la loi générale sur les victimes en 2013, ajoutent des mesures de réparation supplémentaires pour les cas dans lesquels les victimes ont subi des dommages ou une mise en danger de leurs biens juridiques ou de leurs droits à la suite de la commission d'un crime ou de violations de leurs droits de l'homme, De même, l'initiative de la loi générale sur les victimes reconnaît qu'il est indispensable que la "loi coordonne les mécanismes et les mesures nécessaires pour promouvoir, respecter, protéger, garantir et permettre l'exercice effectif des droits des victimes, en reliant toutes les autorités dans le cadre de leurs différentes compétences" (Ley General de Victimas, 2013).

À cet égard, le système national d'attention aux victimes a été créé par la Commission exécutive d'attention aux victimes, un organe décentralisé qui permet à l'État d'offrir une réparation complète à ceux qui peuvent prouver leur statut de victime à la suite de la commission d'un crime ou de violations des droits de l'homme, grâce à "cinq types de mesures conformes aux critères de la Cour interaméricaine des droits de l'homme, et en ce qui concerne le dommage et sa forme de réparation, la restitution, la réhabilitation, l'indemnisation, la satisfaction et la non-répétition" (Comisión Ejecutiva de Atencion a Victimas, 2013). (Comisión Ejecutiva de Atencion a Victimas, 2013). De même, la loi générale sur les victimes (2013) explique que les parties intéressées doivent d'abord démontrer qu'elles ont subi l'un des dommages mentionnés dans la loi, des dommages économiques, physiques, mentaux ou émotionnels, ainsi que toute atteinte à la propriété juridique ou aux droits résultant de la commission d'un crime ou de violations des droits de l'homme, reconnus dans la Constitution et dans les traités internationaux auxquels le Mexique est partie.

D'autre part, cette loi est applicable à la sphère fédérale, mais elle s'applique aux États du pays, c'est pourquoi "une loi réglementaire est nécessaire pour que chaque État applique la loi en question" (Mosri Gutidrrez, 2015), de même que la réparation intégrale prévue dans la loi générale sur les victimes est également notée, qui incorpore des mécanismes supplémentaires à la réparation intégrale des dommages décrits à l'article 12 de la loi fédérale sur la responsabilité patrimoniale de l'État, à l'attention des biens juridiques violés lors de la commission d'un crime ou de la violation des droits de l'homme, qui indiquent les dommages matériels, personnels et moraux visés dans la loi de réglementation du deuxième paragraphe de l'article 113 de la Constitution ; et "à partir de la réforme de 2015, elle a donné vie au Système national anticorruption, qui a également été incorporé dans le dernier paragraphe de l'article 109 de la Constitution" (Mosri Gutidrrez, 2015).

D'une part, Mosri Gutidrrez, (2015), explique que selon la réforme de l'article 113 de la Constitution et la Loi fédérale sur la responsabilité patrimoniale de l'État, l'État ne répondra patrimonialement que des dommages causés par une activité administrative irrégulière et non de n'importe quel dommage, comme l'indique la théorie de la responsabilité stricte.

De même, la loi fédérale sur la responsabilité patrimoniale de l'État a été publiée au Journal officiel de la Fédération le 31 décembre 2004, et c'est à cette occasion qu'elle a défini comme activité administrative irrégulière celle qui cause des dommages aux biens et aux droits de personnes qui n'ont aucune obligation légale de les supporter, en vertu de "l'inexistence d'une base juridique qui légitime le dommage en question" (Castro Estrada, 2017), c'est-à-dire que la responsabilité patrimoniale de l'État est directe et qu'il n'est pas nécessaire de prouver la faute ou la malveillance des fonctionnaires qui ont exécuté l'acte dommageable pour demander une indemnisation, bien que l'article 18 de la loi fédérale sur la responsabilité patrimoniale de l'État prévoie que les particuliers doivent, dans leur demande, identifier les fonctionnaires impliqués dans l'activité administrative irrégulière.

Castro Estrada, (2017), ajoute également les principales caractéristiques de la loi fédérale sur la responsabilité patrimoniale de l'État :

1. Tout d'abord, il s'agit d'une loi fédérale qui régit le deuxième paragraphe de l'article 113 de la Constitution, et qui n'est donc pas applicable au niveau fédéral.
2. Il s'agit également d'un régime général qui se réfère à toute activité administrative irrégulière de l'État de nature juridique, par action ou par omission, et la loi établit également que toutes les entités publiques fédérales, y compris le pouvoir judiciaire, les pouvoirs législatif et exécutif de la fédération et les organes constitutionnels autonomes, y sont soumises.
3. Il s'agit donc d'un régime de responsabilité directe qui dépasse les autres responsabilités subsidiaires et solidaires de nature civile.
4. Enfin, Castro Estrada (2017) affirme qu'il s'agit d'un régime de responsabilité stricte qui supprime l'idée de faute, de sorte qu'il ne sera pas nécessaire de prouver la faute ou la

négligence pour obtenir une indemnisation, mais seulement la réalité d'un préjudice ou d'un dommage imputable à l'organisme public fédéral en question.

En ce qui concerne la responsabilité de l'État, Castro Estrada (2017) se réfère au deuxième paragraphe de l'article 113 de la Constitution et à la loi fédérale sur la responsabilité patrimoniale de l'État, qui se limite aux questions administratives et aux actes matériellement administratifs et ne s'applique que lorsque cette activité administrative a été déployée en violation de la loi, puis l'article 4 de la loi fédérale sur la responsabilité patrimoniale de l'État fait référence à la demande d'indemnisation et est défini dans les hypothèses suivantes : Premièrement, l'existence de l'acte dommageable, deuxièmement, les dommages matériels, personnels et/ou moraux réclamés sont quantifiables ou évaluables en argent et enfin Mosri Gutidrrez, (2015), soutient que les dommages sont directement liés à une ou plusieurs personnes et qu'ils sont inégaux par rapport à ceux qui pourraient affecter la population.

Ces éléments ne sont pas les seuls à prendre en compte pour déterminer si une indemnisation est due en vertu de la loi fédérale sur la responsabilité patrimoniale de l'État, mais l'existence d'une relation de cause à effet entre l'activité administrative et le préjudice produit et l'irrégularité de l'activité administrative dommageable doivent également être dûment accréditées.

Selon Mosri Gutidrrez, (2015), il ajoute que la loi fédérale sur la responsabilité patrimoniale de l'État devrait adresser la demande d'indemnisation en premier lieu à l'autorité à laquelle l'acte dommageable est imputé, et une fois que cette dernière refuse l'indemnisation ou accorde un montant que le demandeur considère comme insuffisant pour compenser le dommage subi et peut déposer un recours en révision, ou aller devant la Cour fédérale de justice fiscale et administrative pour analyser la réponse de l'autorité impliquée et cette résolution.

D'autre part, il est important de souligner l'explication donnée par Mosri Gutidrrez (2015) sur la modification de l'article 113 de la Constitution et de la loi réglementaire qui donnent lieu au régime de responsabilité, et qui ont également été adoptées par le législateur avant la réforme de la Constitution sur les droits de l'homme par laquelle le principe pro personae a été incorporé et qui, auparavant, ne prenait pas en compte les critères émis par la Cour interaméricaine des droits de l'homme, qui fait du régime de réparation la loi générale sur les victimes.

Colombie

En ce qui concerne la privation injustifiée de liberté, Gonzalez Noriega, (2017), indique qu'elle était réglementée dans les notions de responsabilité délictuelle (...) avant la Constitution politique de 1991, et se réfère aux recommandations de la jurisprudence en matière de procédure pénale.

De même, le décret 2700 de 1991, cette loi souligne la culpabilité du gouvernement pour les actions administratives et les omissions des personnes qui ont été privées de leur liberté. Au contraire, Guerrero & Merchan, (2013), considèrent qu'un conflit surgit afin de spécifier le concept illégal dans le manque de légalité, contrairement au "Derecho Contencioso Administrativo" (Droit administratif contentieux), qui souligne cette notion trouvée dans la Constitution, article 90, et dans la Loi 270 de 1996 (Agencia Nacional de Defensa Juridica del Estado, 2013). La simulation du libre arbitre est le principal pilier des droits fondamentaux inscrits dans la Constitution politique actuelle.

Selon l'Agence nationale pour la défense juridique de l'État (2013), dans la teneur des procédures pénales, il y a encore des actions irrégulières et des omissions de la part des administrateurs et des opérateurs de la justice qui génèrent de la culpabilité pour le gouvernement, il est entendu que les autorités administratives et judiciaires, en particulier la police nationale.

Pour être plus clair sur la privation de liberté selon la législation de procédure pénale, elle est classée comme suit :

Premièrement, la capture, c'est-à-dire que l'autorité judiciaire émet un mandat d'arrêt pour que l'individu assiste à la procédure pénale, deuxièmement, la capture en flagrant délit, c'est-à-dire l'arrestation du coupable par des officiers au moment de la mission criminelle[18] . (Agencia Nacional de Defensa Juridica del Estado, 2013, p. 13).

De ce point de vue, les situations de privation avec incidence font référence dans le contexte du droit administratif et sont les suivantes :

1. D'abord, objectivement et légalement, un mandat d'arrêt autorisé, étant entendu que cette origine ne crée pas de culpabilité pour le gouvernement.
2. Deuxièmement, un mandat d'arrêt est illégal lorsqu'il n'est pas exécuté conformément à la loi et qu'il crée une culpabilité pour le gouvernement.
3. Troisièmement, l'illégalité génère la culpabilité du gouvernement et ne prouve pas les éléments du processus. Les actions et les omissions causent des dommages à la propriété d'une personne accusée d'être innocente.
4. Quatrièmement, légalement, les agents et les procureurs assument la charge de la protection en respectant les obligations légales, mais l'accusé est acquitté (Agencia Nacional de Defensa Juridica del Estado, 2013, p. 14).

---

[18] Par ailleurs, l'arrestation n'est pas effectuée dans le respect des droits fondamentaux et des droits de la défense. La procédure pénale combine la situation d'arrestation et la privation de liberté sous le titre de détention préventive.

2.2 Cadre juridique de la culpabilité de l'état

Les décrets du 4007 de 1970 n'avaient pas de base claire pour définir la responsabilité du gouvernement lorsque la personne est privée de sa liberté, c'était avant la Constitution de 1991, (...) et avec l'expédition actuelle, il montre une image claire et en référence à l'article 90, permet une base pour le dommage par les actions et les omissions des administrateurs de la justice. (Agencia Nacional de Defensa Juridica del Estado, 2013, pag. 17).

D'ailleurs, avec la nouvelle Constitution de 1991, l'État reconnaît sans discrimination les droits fondamentaux des personnes dans toute situation de violation des droits de l'homme imputable aux autorités publiques. "Avec cette nouvelle ère, il était également nécessaire de réformer le code de procédure pénale, dans le système de liberté basé sur la culpabilité de l'État pour privation injuste, qui est ensuite acquitté par une sentence d'acquittement. (Agencia Nacional de Defensa Juridica del Estado, 2013, p. 18).

De même, la loi statutaire sur l'administration a été adoptée pour rendre le gouvernement responsable des actions et des omissions des fonctionnaires : "le gouvernement doit répondre du fonctionnement défectueux de l'administration de la justice, des erreurs juridictionnelles et des privations injustes de liberté". (Agencia Nacional de Defensa Juridica del Estado, 2013, p. 19).

En résumé, la Cour constitutionnelle a examiné le concept de détention injuste dans l'arrêt C-037 de 1996 et s'est référée aux articles 6, 28, 29 et 90 de la Constitution, expliquant que le terme injuste décrit un acte ou une omission qui viole les processus juridiques (Agencia Nacional de Defensa Juridica del Estado, 2013, p. 20), "privé de liberté, n'a pas été motivé conformément à la loi, lors de l'application de la norme, les circonstances qui ont produit la détention doivent être considérées dans le cadre des paramètres des circonstances qui ont produit la détention".

La Constitution politique (1991), aux termes de l'article 90, considère que l'injuste est celui qui n'est pas obligé de supporter le dommage et ne doit pas être prouvé ce qui est arbitraire, tant qu'il est illégal, Prato Ramirez (2016), affirme que l'injuste est considéré comme une étude approfondie du juge lorsqu'un acte est exposé comme injuste, puisque dans l'acte illégal doit faire une comparaison avec la loi, contrairement à l'injuste a un autre type d'évaluation.

En revanche, la conception traditionnelle de la responsabilité est l'obligation de réparer et se fonde non pas sur le dommage, mais sur la faute (erreur de conduite, imprudence, absence de prévision), et si l'obligation de réparer se fonde sur l'erreur, celle-ci doit être transférée à l'État, comme l'indique l'exposé des motifs, dans la mesure où la prestation d'un service public a lieu pendant l'exercice de la fonction juridictionnelle publique et entraîne un préjudice juridique qui doit être corrigé et sanctionné, le résultat a été déclaré exéquitable dans la sentence C-037-1996, de la Cour constitutionnelle.

2.3 CONSEIL D'ÉTAT

La culpabilité du gouvernement découle de la personne privée de liberté. Hector (2006) affirme qu'il n'existe pas de position uniforme et que, par conséquent, quatre formes différentes ont été développées, comme suit :

1. Dans un premier temps, l'arrêt a confirmé la culpabilité du gouvernement pour l'avoir privé de sa liberté et argumenté en violation de la décision judiciaire, de sorte que le devoir du juge est de suivre la loi dans les différentes circonstances de l'affaire, dans la mesure où l'étude du juge ou du magistrat a été considérée comme non pertinente, c'est-à-dire qu'il n'est pas intéressant de savoir s'il a agi avec culpabilité ou avec malice.

Selon le premier moment de l'arrêt Prato Ramirez, (2016), je considère que le régime est développé dans la responsabilité subjective, et la responsabilité de l'État est endossée sous le titre de la défaillance dans la prestation du service et nécessite une erreur judiciaire, comme suit :

2. Deuxièmement, Prato Ramirez, (2016) explique que le demandeur doit démontrer la charge procédurale afin d'obtenir le droit à la réparation des dommages, il est nécessaire de prouver l'existence d'une erreur de l'autorité juridictionnelle lors de l'ordonnance de la mesure de privation de liberté et la loi indique une détention injuste, qui a comparé la responsabilité stricte qu'il n'était pas nécessaire de prouver l'existence d'un défaut de service, étant donné que l'État a l'obligation de réparer les dommages causés.

Selon le deuxième moment, l'arrêt préfère le modèle de la responsabilité stricte ou des dommages spéciaux.

3. Troisième moment, Prato Ramirez, (2016), explique que le Conseil d'État a tenu le profil injuste de trois cas de détention situés (...) et la pétition dit dans l'une des trois approches énoncées dans le critère ; et la privation de liberté qui mérité ou non dans l'erreur judiciaire implique la responsabilité de l'État et n'est pas l'illégalité de la conduite du sujet de l'État, mais l'illégalité du dommage subi par la victime et n'a pas l'obligation juridique de supporter.[19]

En ce qui concerne le troisième moment, en bref, que par la peine l'individu est libéré et qu'il est

---

[19]De même, le Conseil d'État dans la troisième section, dossier numéro 13.606, exprimée dans la deuxième thèse jurisprudentielle sur la responsabilité de l'État causée dans la détention préventive et considérée objective, et quant au comportement imputé qui a été la personne privée de liberté et qui par la suite a été libéré d'une décision de l'autorité compétente, il fonde le fait n'a pas eu lieu, ou pas imputable sans la nécessité d'évaluer le comportement du juge ou de l'autorité qui a ordonné la détention, il est tiré de l'arrêt du 14 Mars 2002, numéro de dossier 12.076.

considéré parce qu'il n'y avait pas d'éléments et le juge doit le signaler à l'État.

En référence aux arrêts analysés, le Conseil d'État attribue des éléments au décret 2700 de 1991, le gouvernement a le devoir de répondre aux dommages qui résultent ultérieurement d'un acquittement. Même le "Consejo de Estado dans sa jurisprudence a élargi les questions pour établir que l'État sera responsable dans les cas d'acquittement par in dubio pro reo" (Guerrero & Merchan, 2013). (Guerrero & Merchan, 2013, p. 22).

Selon Guerrero et Merchan (2013), cette ligne jurisprudentielle montre que les procureurs et les juges se voient attribuer la légalité tout au long du processus.

4. Quatrièmement, Prato Ramirez, (2016), mentionne que la Chambre du Conseil d'État a élargi l'aptitude à argumenter la culpabilité du gouvernement pour les faits de détention préventive, et dirigée par l'autorité de compétence et selon le titre objectif d'imputation cause à l'individu un dommage illégal et le même est dérivé de l'application dans le cadre du processus pénal (...) de sorte qu'il est le résultat de l'activité d'enquête par l'autorité compétente.Si l'accusé n'est pas condamné, l'obligation de l'État de réparer les dommages subis par l'individu est reconnue.

Le Conseil d'Etat dans sa jurisprudence a unifié l'arrêt dans la troisième section. Dossier. 23.354, 2003, confirmant sa thèse de la responsabilité stricte en matière de privation injuste de liberté, séparant l'opinion du juge constitutionnel et s'occupant d'une responsabilité de garantir les droits de l'homme, la position susmentionnée que le Conseil d'État a assumée équivaut à l'article 90 de la Constitution Pohtica.

Selon la Cour constitutionnelle et le Conseil d'État dans sa jurisprudence, la privation de liberté a un lien avec le fondement de la responsabilité de l'État, de sorte qu'elle est qualifiée de dommage anti-juridique subi, alors Prato Ramirez, (2016), soutient qu'il ne peut en être autrement, puisque l'article 90 de la Constitution politique énonce deux corporations.

2. 4 RÉGIME DE RESPONSABILITÉ DANS LES TITRES D'IMPUTATION SUBJECTIVE ET OBJECTIVE

Pour commencer, la Colombie dispose de régimes de responsabilité non contractuelle de l'État, de responsabilité stricte et de responsabilité subjective, qui se distinguent par l'imputation des dommages. Rivera Villegas (2003) explique qu'un régime de responsabilité est un ensemble de règles qui déterminent la responsabilité de l'État.

La jurisprudence a énoncé deux régimes pour considérer la responsabilité de l'Etat, d'abord le régime de la responsabilité subjective, il considère que la défaillance de l'administration est un élément définitif pour obtenir l'indemnisation, c'est-à-dire qu'il faut la preuve de la défaillance de l'administration, sinon la responsabilité de l'Etat ne sera pas déclarée, et sinon il n'a pas droit à l'indemnisation, alors ce régime de responsabilité subjective appartient au titre de l'imputation prouvée de la faute de service, en vertu duquel la victime doit démontrer qu'il y a eu une faute de service, un préjudice et le lien de causalité entre les deux, pour prouver le dommage et demander le droit à l'indemnisation.

Aussi, le Conseil d'Etat se réfère aux titres d'imputation pour attribuer la responsabilité non contractuelle à l'Etat, et analyse deux sphères, à savoir la portée factuelle, et l'imputation juridique, dans la mesure où elle détermine l'attribution à un devoir juridique agissant conformément aux différents titres d'imputation de la Chambre. Il est alors nécessaire de prendre en compte les aspects de la théorie de l'imputation objective de la responsabilité étatique, puisque le régime de la responsabilité étatique requiert l'adoption du principe d'imputabilité, actuellement, la tendance de la responsabilité étatique est marquée par l'imputation objective, Le deuxième régime de responsabilité se réfère à la responsabilité objective et suppose qu'il offre une large protection des droits de l'homme aux individus en prouvant le dommage et le lien de causalité, afin d'obtenir le droit à la réparation du dommage, dans ce régime il n'est pas important de connaître le comportement de l'État.

Ainsi, la principale différence entre les deux titres, explique Prato Ramirez, (2016), réside dans les titres subjectifs et il est nécessaire de considérer la faute pour attribuer la responsabilité, tandis que dans les régimes objectifs, il est seulement examiné à qui le dommage est attribué et la possibilité de générer une responsabilité de l'État.

2.4.1 RUBRIQUES D'IMPUTATION SUBJECTIVE

D'autre part, Hector (2006) se réfère au concept de violation d'un contenu obligatoire pour l'État, en d'autres termes, la responsabilité subjective assume deux modalités, la défaillance prouvée ou ordinaire du service et la défaillance présumée, car elle trouve son origine dans une défaillance ou une faute de l'agent ou dans un fonctionnement défectueux du service qui cause le dommage, et l'obligation de réparer naît pour l'État et pour le fonctionnaire avec un caractère conjoint et solidaire. De même, Prato Ramirez, (2016), décrit que le régime de responsabilité subjective et considère la conduite de l'État pour déterminer sa responsabilité, et affirme seulement la faute dans l'action de l'État, contrairement à Hector, (2006), détermine que le seul titre d'imputation de la responsabilité est soumis aux règles du régime de responsabilité, en effet c'est la défaillance du service, que ce titre indique une conduite défectueuse de l'État.

Défaillances des services

En ce qui concerne les sources de la responsabilité de l'État, Prato Ramirez (2006) considère la théorie de la défaillance du service comme le principal titre juridique pour transférer la responsabilité de l'État sur la base de la faute, et la défaillance du service correspond au régime de la responsabilité subjective, et étant donné que la base fondamentale de l'attribution de la responsabilité à l'État est la faute de l'administration par action ou omission.

De même, Hector (2006) souligne que le préjudice causé par la violation du contenu obligatoire à la charge de l'État découle des lois, règlements ou statuts qui génèrent des obligations et des devoirs pour l'État, tandis que dans la Constitution politique, l'article 2, paragraphe 2, établit que les autorités de la République sont instituées pour protéger toutes les personnes résidant en Colombie afin d'assurer l'accomplissement des devoirs sociaux de l'État et des particuliers.

D'autre part, dans le régime de la responsabilité subjective, il existe deux formes, la première étant le défaut de service prouvé, c'est-à-dire que la partie lésée devait démontrer l'existence d'un défaut de service, d'un préjudice et du lien de causalité entre eux, "pour obliger l'État et obtenir ainsi le droit à l'indemnisation" (Prato Ramirez, 2016, p. 53), sinon l'individu n'a pas droit à l'indemnisation, et le Conseil d'État l'a considéré.

Elle est également née dans la jurisprudence française comme critère d'attribution des compétences dans la mesure où, dans ce pays, les juridictions administratives et ordinaires étaient en concurrence pour la connaissance des procès intentés aux entités publiques. La défaillance du service s'identifie alors à l'idée de non-fonctionnement, de dysfonctionnement ou de fonctionnement tardif de l'administration, telle que l'entend la doctrine classique (Pinzon Munoz, 2016, p. 138). La défaillance concrète du service public repose sur la détermination de la propriété administrative de l'activité ou du service qui produit le dommage.

2.4.2 RÉGIME DE RESPONSABILITÉ STRICTE

En ce qui concerne ce type de responsabilité, Rivera Villegas (2003) ajoute qu'elle ne s'applique qu'à une personne ou à un groupe spécifique qui a subi un dommage, étant donné qu'il est subi par les administrateurs et qu'ils n'avaient pas droit à une indemnisation, et indique également les principaux domaines d'application de la responsabilité, à savoir les dommages spéciaux, les risques exceptionnels, l'expropriation et l'occupation de biens en cas de guerre.

D'autre part, Prato Ramirez, (2016), explique la responsabilité sans faute, ce régime ne considère pas la conduite de l'État pour déterminer sa responsabilité, en d'autres termes que la conduite de l'État n'est pas l'objet d'étude du régime de responsabilité, étant donné que la conduite irrégulière de l'État n'est pas nécessaire pour configurer la responsabilité de l'État. Par conséquent, Pinzon Munoz, (2016), ajoute que la responsabilité stricte se réfère à l'exclusion de la faute de la responsabilité, c'est-à-dire l'exclusion de la défaillance du service attribue la responsabilité à l'État dans un régime de responsabilité stricte, en effet le demandeur doit seulement prouver l'existence du dommage et le lien de causalité avec le fait de l'administration, En effet, le demandeur n'a qu'à prouver l'existence du dommage et le lien de causalité avec le fait de l'administration, et au contraire, l'Etat doit prouver qu'il a agi avec diligence et attention, car cela est insuffisant, et il peut se dégager de sa responsabilité en démontrant la survenance d'une cause étrangère, aussi le Conseil d'Etat relève dans la jurisprudence en matière de responsabilité objective que différents régimes de responsabilité ont été développés.[20]

Dommages spéciaux

À un troisième niveau, " la jurisprudence du Conseil d'État admet que l'activité légitime génère un dommage que les individus ne sont pas obligés de supporter, une situation de la théorie traditionnelle de l'échec, et considère la violation des charges publiques comme un dommage spécial " (Pinzon Munoz, 2016, p. 146). De même, le Conseil d'État fait référence au dommage spécial, et mentionne celui qui condamne l'administré dans le développement d'une action légitime de l'État visant la légalité, étant donné que le sujet actif a droit à une indemnisation.

De plus, il se trouve comme référent normatif des conceptions dogmatiques et substantielles qui ont été conçues dans la Charte politique de 1991, " la dignité humaine article 1°, la prévalence des droits fondamentaux article 5°, et le principe de la responsabilité sociale et de la solidarité entre autres ", (Gomez Sierra, 2010). 5°, et le principe de responsabilité sociale et de solidarité entre autres", (Gomez Sierra, 2010), ce régime est considéré comme une responsabilité pour rupture d'égalité, avant les charges publiques ou la théorie des dommages spéciaux, et pour Gomez Sierra, (2010), explique qu'il est basé sur des principes d'égalité, et considère que l'État génère un dommage à un particulier, et est donc obligé d'accepter la charge publique, c'est-à-dire que quiconque subit le dommage a le droit d'obtenir une compensation. D'autre part, Pinzon Munoz, (2016), affirme que ce régime de responsabilité s'oppose au titre de la faute prouvée, autrement il n'est pas nécessaire que l'État ait agi avec un certain défaut, et que son action est légitime, cependant il génère des dommages qui ne sont pas dans l'obligation de supporter et doit être compensé par l'État, Cet aspect est ouvert en Colombie et permet de renforcer le développement de manière primordiale, car l'imputation n'obéit pas seulement au critère de causalité, mais à partir d'une explication normative et juridique sous une notion de la théorie de l'imputation objective.

---

[20] De même, la responsabilité objective sans faute ou pour fonctionnement normal en tant que source de responsabilité de l'État met en œuvre le régime subjectif en Colombie. Ce titre d'imputation est utilisé pour protéger les situations dans lesquelles l'action de l'État est légale, mais génère un préjudice antijuridique pour les individus.

En ce qui concerne les dommages pécuniaires ou matériels, Prato Ramirez, (2016), ajoute qu'ils sont classés comme dommages consécutifs et perte de profit, et en ce qui concerne les dommages non pécuniaires, ils sont classés comme préjudice moral, ce qui, même s'il est vrai que les dommages à la santé, les dommages psychologiques et d'autres droits ou intérêts constitutionnels légitimes qui sont légalement protégés ne sont pas inclus dans le concept de dommage corporel ou d'atteinte à l'intégrité psychophysique et méritent le droit à une indemnisation.

Indemnisation du préjudice

D'autre part, Pinzon Munoz, (2016), souligne sur un principe juridique, que tous les dommages doivent être compensés, et se réfère uniquement aux dommages, cette considération est nécessaire dans l'étude des dommages causés à l'individu, en raison de la personne privée de liberté est considéré comme le dommage, Prato Ramirez, (2016), explique que pour obtenir le droit à l'indemnisation, le dommage illégal doit être illégal, léser un droit, et sa réalité doit être prouvée.

1. Dommages émergents

Selon Marino Camacho, (2014), il définit comme dommage émergent toutes les dépenses qui ont été encourues à la suite d'un événement spécifique qui a blessé la victime, c'est-à-dire les dépenses économiques, les biens et les services appréciables qui ont quitté le patrimoine en raison du dommage causé. Par conséquent, Rivera Villegas (2003) fait référence aux dommages émergents qui doivent satisfaire à la charge de la preuve en matière de procédure et présenter différents types de dommages.

2. Manque à gagner

Selon l'article 1614 du code civil colombien, la perte de revenus est définie comme une perte qu'il n'est pas possible de prévoir pour l'avenir, car elle peut être future au moment des faits, mais elle peut aussi être présente ou passée en fonction du moment du jugement. Prato Ramirez (2016) explique que la première perte est celle qu'une personne subit depuis l'événement dommageable jusqu'au moment où le jugement est rendu, et la seconde est celle qui survient entre la date du jugement et la date d'extinction de l'obligation d'indemniser.

3. Dommage moral

D'autre part, les dommages extrapatrimoniaux ou immatériels distinguent différents types de dommages, comme l'explique Rivera Villegas (2003), qui qualifie les dommages moraux de dommages physiologiques à la vie et à la santé. D'autre part, le Conseil d'État, dans sa jurisprudence, fait référence au préjudice de retard et reconnaît à ceux qui subissent un préjudice anti-juridique "le droit d'obtenir une indemnisation fondamentalement satisfaisante et il appartient au juge d'en évaluer le montant" (Rivera Villegas, 2003). (Rivera Villegas, 2003, p. 50).

Chapitre 3

RÉFLEXIONS - VUE DU MEXIQUE

3. ANALYSE DU SYSTÈME JURIDIQUE MEXICAIN EN MATIÈRE ADMINISTRATIVE

Tout d'abord, le 14 juin 2002, l'article 113 de la Constitution mexicaine a ajouté un deuxième paragraphe au régime de responsabilité objective et directe de l'État pour les dommages causés aux particuliers par son activité administrative irrégulière. Après cette réforme constitutionnelle, la responsabilité patrimoniale de l'État était régie par la législation civile, sous réserve de certaines exceptions administratives.

Selon le Journal officiel de la Fédération (2004), la loi fédérale sur la responsabilité patrimoniale de l'État a été publiée et définit l'activité administrative irrégulière comme un dommage causé aux biens et aux droits des individus, en vertu duquel ils n'ont pas l'obligation légale de le supporter. La responsabilité patrimoniale de l'État est donc directe et il n'est pas nécessaire de prouver la faute ou la malveillance des fonctionnaires qui ont causé l'acte dommageable ; pour demander une indemnisation, cela ne s'applique qu'aux entités fédérales.

Avec cette réforme constitutionnelle (2002), il souligne que l'article 113 de la Constitution est élevé au rang constitutionnel, et que la responsabilité patrimoniale de l'État présente des particularités différentes de la doctrine connue sous le nom de responsabilité objective et directe, qui ont un impact sur le droit à l'indemnisation, et d'autre part, la réforme constitutionnelle du 10 juin (2011), fait référence aux droits de l'homme et l'État mexicain s'est alors vu reconnaître des obligations, en vertu de la prévention, de l'investigation, de la punition et de la réparation des violations des droits de l'homme, en termes de droit.

D'autre part, le régime politique démocratique et la société plus participative dans le débat sur le droit à réparation, prévu par la loi fédérale sur la responsabilité patrimoniale de l'État et son application, en ce qui concerne cette loi n'est pas applicable aux États qui composent le pays, parce qu'elle est de compétence fédérale.

Il ressort de ce qui précède que le système de responsabilité de l'État pour les dommages subis en vertu de l'article 113 de la Constitution et de son droit réglementaire est limité et qu'il existe manifestement des restrictions dans son application, de sorte qu'il n'y a pas de garantie de protection des droits des victimes et qu'une violation des droits fondamentaux est prononcée, et qu'il est nécessaire d'étendre la protection maximale des droits de l'homme aux actes réguliers de l'administration publique, de sorte que l'extension de la protection ne peut être mise en œuvre par le biais d'une loi réglementaire, mais doit créer des lois et des règlements exclusifs pour son application.

Conformément à l'article 113 de la Constitution et à la Loi de Régulation, elle ajoute que l'Etat ne répondra patrimonialement que pour les dommages causés par son activité administrative irrégulière et non pour n'importe quel dommage, il est donc fondamental d'analyser la responsabilité patrimoniale de l'Etat sur la base de la théorie objective et directe, qui a été le premier moment d'un système en cours de consolidation, et nécessite une mise à jour de la réalité nationale et du principe pro personae qui doit adopter des mesures de protection pour garantir les droits de l'homme dans tout le pays, en créant des normes applicables aux Etats qui favorisent les victimes de privation injuste de liberté, et en disposant d'outils suffisants pour garantir le droit à la compensation en conséquence des dommages causés par l'Etat.

Tauɪblёɪ, le régime de responsabilité de l'Etat devrait agir comme un mécanisme de contrôle des actions des fonctionnaires et l'Etat devrait agir contre ceux qui sont responsables de l'activité administrative irrégulière qui a donné lieu au paiement d'une compensation, cependant, ce régime est limité dans son application aux Etats. De même, le régime de responsabilité permet aux particuliers de demander à l'État de répondre de son activité administrative irrégulière, par le biais du paiement d'une indemnisation, le fait est qu'en analysant le texte de la Ley Federal de Responsabilidad Patrimonial del Estado, La vérité est qu'en analysant le texte de la Loi Fédérale de Responsabilité Patrimoniale de l'Etat, il avertit que les mécanismes de réparation sont principalement dirigés vers les entités publiques fédérales, ce qui ne garantit pas aux Etats de jouir de cette Loi, comme c'est le cas du Chiapas, qui n'a pas de régime spécial de responsabilité patrimoniale de l'Etat, dans cette situation les victimes de privation injuste de liberté ne sont pas protégées, en effet la Cour Interaméricaine des Droits de l'Homme (2009), souligne que depuis le début de la loi, les victimes de privation injuste de liberté ne sont pas protégées, La Cour interaméricaine des droits de l'homme (2009), souligne que depuis les sentences prononcées, VLxico a été condamné pour des fautes et des abus commis continuellement avant les actions des fonctionnaires de l'État et que, d'autre part, l'agenda public est mené par la société civile contre la violence, La "Ley General de Victimas que reconoce y garantiza los derechos de las victimas de los victimas del delito y de violaciones a derechos humanos" (Flores Ramos, 2014) a été publiée (Flores Ramos, 2014), et prévoit également des mesures de restitution, de réhabilitation, de compensation, de satisfaction et des garanties de non-répétition, à la charge de l'État et au profit des victimes qui s'accréditent dans les termes de la loi.

Dans le même ordre d'idées, Flores Ramos (2014) explique que les engagements internationaux auxquels l'État mexicain a souscrit en matière de droits de l'homme et qui sont reconnus dans la Constitution politique des États-Unis du Mexique, des années après la publication, le 9 janvier 2013, de la loi générale sur les victimes, ajoutent également que cette loi reconnaît les mécanismes et les mesures nécessaires pour promouvoir, respecter, protéger, garantir et permettre l'exercice effectif des droits des victimes, Cette loi crée le Système national d'attention aux victimes, géré par la Commission exécutive d'attention aux victimes, cet organe décentralisé permet à l'État de fournir une réparation complète aux personnes qui peuvent prouver qu'elles sont victimes de la commission d'un crime ou de violations de leurs droits de l'homme, cependant, lorsque l'on recherche cette commission, il y a des limitations, car elle ne traite que des cas d'intérêt fédéral et n'est pas compétente pour traiter les cas de juridiction commune.

En ce qui concerne la loi fédérale sur la responsabilité patrimoniale de l'État (2004) et la loi générale sur les victimes, elles relèvent de la compétence fédérale et ne s'appliquent qu'aux entités fédérales, car elles ne garantissent pas les droits de l'homme consacrés par la Constitution, en raison de l'absence d'une réglementation applicable aux États pour l'application de cette loi. L'analyse de ces lois montre que pour l'application de la loi générale sur les victimes dans l'État du Chiapas, au Mexique, une réglementation interne est nécessaire pour faire usage de cette loi.

À cet égard, Mosri Gutidrrez, (2015), souligne que cette loi a été déterminée comme étant réglementaire et obligatoire sur l'ensemble du territoire national et pour les trois domaines du gouvernement fédéral, de l'État et de la municipalité, cependant pour son application un règlement interne est nécessaire, en fait il n'existe pas, puisque la loi fédérale n'a pas de compétence pour les domaines de l'État et de la municipalité, à partir de ce qui précède un droit administratif complet est nécessaire, c'est-à-dire deux piliers fondamentaux le principe de légalité, et le principe de la responsabilité de l'État applicable au territoire mexicain.

3.1 ANALYSE DU SYSTÈME JURIDIQUE COLOMBIEN EN MATIÈRE ADMINISTRATIVE

La Colombie a progressé dans le domaine de la responsabilité de l'État à la suite du conflit armé dans lequel les forces politiques au pouvoir ont réduit au silence ceux qui pensaient contrairement à leurs intérêts, ce qui a dégénéré en véritables abus de la part de l'État, étant donné qu'à la suite des luttes politiques, l'État a enrichi tout un volet normatif et jurisprudentiel dans le domaine de la responsabilité, En d'autres termes, le système colombien, conformément à la Constitution de 1991, a changé depuis son entrée en vigueur, du fait que la Constitution et les normes de la loi fondamentale sont des normes d'application directe qui résolvent les cas, et d'autre part, l'applicabilité et l'application de la Constitution sont devenues la règle, alors qu'auparavant il s'agissait d'une omission absolue.

TauıbІёn, les mécanismes judiciaires pour obtenir le droit à l'indemnisation en Colombie est argumenté dans la Charte politique, (1991), article 90, et a une grande pertinence, l'application de la responsabilité de l'État, car il est la norme suprême et détermine les exigences, les procédures et les procédures auxquelles les autres normes du système doivent être soumis, Et en ce qui concerne la mise en œuvre des mécanismes d'effets constitutionnels, elle montre non seulement à quel point la légalité est manipulable, mais souligne également la nécessité de structurer des contrôles plus forts et plus démocratiques, tels que ceux de la constitutionnalité et de la conventionnalité, selon les termes de la loi.

En ce qui concerne les dommages illégaux visés à l'article 90 de la Constitution, ils revêtent une grande importance dans le contexte juridique, étant donné qu'ils constituent un obstacle différent à la nature et à l'objectif de la responsabilité, qui passe d'un caractère typiquement punitif à un caractère typiquement réparateur, en établissant la responsabilité de l'État à la condition qu'elle lui soit imputable ; par conséquent, le Conseil d'État a déclaré qu'il séparait l'illégalité du dommage.

D'autre part, elle mentionne, parmi les critères de réparation, que celle-ci doit être intégrale et que tous les dommages doivent être indemnisés dans la mesure où ils sont prouvés ; Parmi les dommages matériels, on trouve les concepts de perte de profit et de perte de revenus, qui doivent être indemnisés en fonction des preuves recueillies, ainsi que la durée effective de la privation, qui doit être prise en compte pour calculer le montant spécifique ; d'autre part, les dommages immatériels découlent des dommages moraux et doivent être indemnisés lorsque l'on est privé de liberté, précise la chambre du contentieux administratif.

D'autre part, la législation nationale de la Colombie est établie à l'article 90 de la Constitution de 1991, et se réfère à l'illégalité du dommage, qui est imputable à l'État, par action ou omission de ses agents, qui sera l'illégalité du dommage qui peut compromettre la responsabilité patrimoniale de l'État, en conséquence de ce scénario, quiconque a été injustement privé de sa liberté peut poursuivre l'État.

En conclusion, il est nécessaire de souligner les avancées jurisprudentielles que le Conseil d'État a émises et qui créent la prémisse fondamentale sur la responsabilité patrimoniale de l'Etat basée sur les termes de l'article 90 de la Constitution Politique de 1991, qui prévient que, indépendamment du fait que les actions de l'Etat aient été légales ou illégales, il suffit que le dommage imputable à l'Etat soit simplement illégal pour la victime pour déclencher la prononciation de la responsabilité patrimoniale à l'encontre de l'Etat.

Le dommage imputable à l'État est simplement illicite pour la victime afin de déclencher le prononcé de la responsabilité pécuniaire à l'encontre de l'État.

Tableau comparatif 1, des similitudes qui existent

entre le

Mexique et la Colombie en ce qui concerne la juridiction

administrative contentieuse

pour demander une indemnisation au titre de la responsabilité de l'État.

Tableau comparatif des similitudes qui existent dans la juridiction contentieuse-administrative pour demander une indemnisation au titre de la responsabilité de l'État.	
Mexique	Colombie
Le cadre juridique	Le cadre juridique

I. Constitution Policita de los Estados L'article 113, paragraphe 2, de la constitution mexicaine reconnaît le droit des particuliers à une indemnisation équitable si l'activité administrative irrégulière des fonctionnaires de l'État cause des dommages à leur patrimoine. II. Droit réglementaire : Ley Federal de La responsabilité patrimoniale de l'État, articles 1, 2, 4, 9, 11 et 14, indique l'activité administrative irrégulière qui cause des dommages aux biens et aux droits des individus qu'ils n'ont pas l'obligation légale de supporter. III. Jurisprudence de Cour suprême de justice de la nation. IV. Ley General de Victima, articles 1, 3, 4, 10, 12 et 73 fraction IV.	I. La Constitution politique de 1991, L'article 90 reconnaît les dommages illégaux imputables à l'État. II. Droit réglementaire : Loi statutaire sur la Administration de la justice 270 de 1996, et ses articles 65, 66, 67, 68, 69 et 70. III. Codigo de Procedimiento Administrativo y de lo Contencioso Administrativo, (Loi 1437 de 2011, 18 janvier), articles 1, 2, 10 et 414. IV. Jurisprudence de l'unification émise par le Conseil d'Etat.

Normes internationales	Normes internationales
I. La Convention américaine de la Droits de l'homme, articles 10, 8 et 25. II. le pacte international relatif aux droits civils et politiques Droits civils et politiques, articles 9 et 14. La déclaration universelle des droits de l'homme Droits de l'homme, articles 1, 8 et 9.	I. La Convention américaine des droits de l'homme Articles 10, 7, 8, 9 et 25 des droits de l'homme. II. le pacte international relatif aux droits économiques, sociaux et culturels Droits civils et politiques, articles 9 et 14. III. Déclaration universelle des droits de l'homme, articles 1, 8 et 9. IV. La Convention européenne des droits de l'homme. Article 5 de la Convention européenne des droits de
Concours	**Concours**
I. Aux agences fédérales. II. les entités fédérales qui génère la responsabilité patrimoniale de l'État.	I. La législation colombienne est applicable pour l'ensemble du territoire, alors qu'au Mexique la législation ne s'applique pas à l'ensemble du territoire.
La procédure en matière administrative devant :	**La procédure en matière administrative devant :**
I. Droit fédéral de la responsabilité Le droit de demander réparation doit être adressé en premier lieu à l'autorité à laquelle l'acte dommageable est imputé, lorsque celle-ci refuse la réparation. II. la Cour fédérale de justice fiscale Administratif, (TFJFA).	I. Juges administratifs 1^a instance II. Cour administrative de deuxième instance III. Conseil d'État

Régime applicable	Régime applicable
I. Il s'agit d'un régime général, applicables aux entités publiques fédérales. II. Régime de responsabilité directe III. Régime de responsabilité stricte	I. Régime applicable aux valeurs mobilières imputation au mauvais fonctionnement de l'Etat. II. Régime de défaillance du service, (dommages risque spécial et exceptionnel)
Éléments de l'actif et du passif de l'État I. Responsabilité stricte et directe contre l'État. II. la responsabilité stricte et directe contre l'État. III. La faute, la faute ou la négligence ne doit pas être prouvée. IV. Démontrer l'existence d'un préjudice ou d'un dommage imputable à l'organisme public fédéral. V. Action ou omission de l'État. VI. activité administrative irrégulière. VII. elle est basée sur la théorie du préjudice. (l'individu a droit à une indemnisation du fait qu'il a subi une atteinte à ses biens et à ses droits, nonobstant l'obligation légale de supporter cette atteinte). VIII. dommages causés par l'activité les irrégularités administratives de l'État.	**Éléments de la responsabilité de l'État empêché de liberté** I. Réparation directe. II. l' action ou l'omission de l'État consiste en dans l'accomplissement des obligations de l'administration. III. En cas de défaillance du service, prouver le lien de causalité entre la défaillance du service et le délit. IV. Théorie subjective : défaillance dans le service et risque exceptionnel, cette théorie démontre la défaillance dans le service, le dommage et le lien de causalité. Théorie de l'objectif V : Les dommages spéciaux ne se produisent pas. examine le comportement de l'agent de l'État et l'acte ou l'omission de l'État doivent être prouvés. VI. motifs de privation injuste de liberté Les libertés sont les suivantes : Parce que l'acte ne l'a pas commis, l'associé ne l'a pas commis et le comportement a établi un fait punissable.

Source : informations pertinentes pour cet article, mai 2017.

**Tableau comparatif 2, des différences qui existent
entre le Mexique
et la Colombie en ce qui concerne la juridiction
administrative contentieuse
pour demander une indemnisation au titre de la responsabilité de l'État.**

Tableau comparatif des différences qui existent dans la juridiction contentieuse-administrative pour demander une indemnisation au titre de la responsabilité de l'État	
Cadre juridique, Mexique	**Cadre juridique, Colombie**
I. Constitution Politica article 113,	I. Elle est reconnue dans la Constitution
La deuxième fraction s'applique en outre lorsqu'il n'existe pas de législation régissant le droit à l'indemnisation.	de 1991, article 90, responsabilité de l'État pour les dommages anti-juridiques imputables.
II. la garantie constitutionnelle au niveau fédéral.	II. elle dispose d'une loi de régulation, qui est applicable à l'ensemble du territoire colombien.
Loi fédérale sur la responsabilité	La procédure est réglementée
Le patrimoine de l'État, au Chiapas, au Mexique, situé dans le sud du pays, n'est pas applicable. Il ne s'applique qu'aux entités publiques fédérales.	Le code de procédure administrative IV. Ils disposent d'une branche administrative. Le Conseil d'État spécialisé est le Conseil d'État qui rend des arrêts.
IV. Loi générale sur les victimes, non Toutefois, un règlement interne est nécessaire, dans l'État du Chiapas, pour sa mise en œuvre.	V. Questions de jurisprudence unifiée
V. Il n'y a pas de législation au niveau de l'Union européenne.	Le Conseil d'État constitue un précédent en la matière et a force de loi.
	VI. un nouveau critère d'endommagement est trouvé

l'autorité locale, qui réglemente le droit à l'indemnisation.

La Constitution politique de 1991 ne la reconnaît cependant pas dans la Constitution politique des États mexicains.

VI. l'application des règlements de La responsabilité des États est limitée aux États qui ne sont pas compétents.

Normes internationales

I. Le 10 juin 2011, l'article 1° de la Constitution a été modifié pour intégrer les droits de l'homme reconnus dans les traités internationaux.

Normes internationales

I. Elle est reconnue dans la Constitution de 1991, à l'article 93, les traités et conventions internationaux applicables à l'État colombien.

II. depuis 1991, la Colombie a adopté la des normes internationales, plutôt que de

II.Le Mexique a reconnu le caractère normatif

international, 2011.

Concours

I. Les entités publiques de l'État de
Le Chiapas n'est pas compétent en
vertu de la loi différée.

I. Il existe une loi fédérale sur
la responsabilité patrimoniale des
États, qui n'a pas de régime
applicable aux États.

II. Le droit réglementaire de la
La responsabilité patrimoniale de
l'État ne s'applique pas à l'ensemble
du territoire national et aux trois
niveaux de gouvernement : l'État et
la municipalité.

Procédure en matière administrative :

I. Cour fédérale de justice fiscale
L'unique organe administratif pour
mener à bien la procédure.

II. il n'y a pas de procédure réglementée
pour les États qui composent le
pays, comme c'est le cas du Chiapas,
au Mexique.

Régime applicable

I. Il s'agit d' un régime général,
applicables aux entités publiques
fédérales.

II. il n'y a pas de
La responsabilité des États en
particulier.
A titre d'exemple, au Chiapas,
il n'y a pas de régime de
responsabilité de l'État.

Mexique.

Concours

I. La compétence s'applique à l'ensemble de
la

Le territoire colombien est un pays unifié.
L'État dispose de fondations pour la
des causes qui réagiront.

Procédure en matière administrative :

I. Il dispose d'étapes pour initier le
procédure administrative

II. 1ère Instance. La procédure est ouverte,
les juges administratifs sont compétents

III. 2ème instance, les tribunaux administratifs
statuent en première instance

IV. 3ème instance, Conseil d'Etat, plus haute
juridiction, en matière contentieuse-
administrative.

V. La Colombie a une juridiction
La Cour du contentieux administratif, qui
est chargée de régler les litiges au sein de
l'administration publique, alors que le
Mexique ne dispose pas d'une cour
suprême en matière administrative.

Régime applicable

I. Ils disposent d'un régime applicable aux
valeurs mobilières.
d'imputation.

II.Il existe des régimes et ils sont classés en :
la défaillance du service, les dommages
particuliers et les risques exceptionnels.

**Éléments de la responsabilité de l'État en
matière de privation de liberté**

I. Il y a une réparation directe pour
pour obtenir le droit à l'indemnisation,
pour

Éléments de responsabilité Actifs de l'État	responsabilité de l'État. II. il existe une législation applicable qui régit, le
I. La responsabilité de l'État fait référence au deuxième paragraphe Article 113 de la Constitution et de la loi	Action et omission de l'État. Elle s'appuie sur deux théories pour identifier les
Responsabilité fédérale Les biens patrimoniaux de l'État qui sont limité au sujet traité administrative.	responsabilité de l'État. IV. les dommages anti-légaux sont reconnus. Dans le Constitution. V. Il existe des recueils de privations injustes. de liberté.
II. les éléments, qui sont dérivés de la Loi fédérale sur la responsabilité Propriété de l'État, ne s'applique pas aux États.	VI. dans la Constitution de 1991, la théorie de la défaillance du service principale base pour la responsabilité financière de la Statut.
Il y a l'acte ou l'omission du État, et il n'y a pas de législation qui réguler. Le Mexique n'a pas envisagé de dommages. illégale, mais la responsabilité Propriété de l'État.	VII. La Colombie dispose de titres d'imputation qui est adapté au cas, tel qu'il est : la théorie la théorie subjective et la théorie objective, tandis que qu'au Mexique, elle n'a pas de imputation.

Source : informations tirées de ce document, mai 2017.

3.2 ANALYSE COMPARATIVE DU SYSTÈME JURIDIQUE COLOMBIEN ET DU SYSTÈME MEXICAIN EN MATIÈRE ADMINISTRATIVE POUR DEMANDER L'INDEMNISATION DE PERSONNES INJUSTEMENT DÉCHARGÉES DE LEUR LIBERTÉ

D'autre part, il convient de mentionner qu'au cours du processus d'enquête sur le sursis, nous avons trouvé, dans l'analyse des mécanismes judiciaires qui existent en Colombie et au Mexique, un précédent dans le contexte de la protection maximale des droits de l'homme.

Par ailleurs, la Constitution politique (1991) ajoute le droit à la compensation pour la privation de liberté en Colombie, qui est réglementé à l'article 90 de cette Charte politique, et par conséquent, l'État répondra de manière patrimoniale aux dommages antijuridiques.

En ce qui concerne le cadre juridique, la Colombie reconnaît les dommages-intérêts anti-juridiques dans la Constitution politique et, à cet égard, il existe une loi réglementaire, la Ley Estatuaria de la Administración de Justicia, le Codigo de Procedimiento Administrativo y de lo Contencioso Administrativo et, enfin, la jurisprudence d'unification du Consejo de Estado, qui a été transcendante dans son développement, et surtout au profit des victimes de privation de liberté pour demander une indemnisation pour les dommages imputables à l'État.

Comme indiqué plus haut, il existe en Colombie une classification des régimes applicables aux titres d'imputation, pour la privation injuste à cet égard, dans la théorie subjective, il y a d'abord la défaillance du service, le risque exceptionnel et il faut démontrer la défaillance du service, le dommage et le lien de causalité ; et en ce qui concerne la théorie objective, il y a le dommage spécial en ce qui concerne la preuve du dommage et du lien de causalité, par rapport à ces titres, le cas est adapté selon la nature dans laquelle il s'est produit, prouvant ainsi à l'État le dommage illégal, pour lequel il doit répondre.

En résumé, les mécanismes judiciaires en Colombie pour demander une indemnisation, via le contentieux administratif, sont régis par la législation et la jurisprudence, et disposent d'une branche spéciale pour mener à bien la procédure. Il convient de mentionner que sa législation est applicable à l'ensemble du territoire colombien, et qu'il s'agit d'un pays unifié. En effet, il existe une réparation directe, pour demander le droit d'être indemnisé pour la responsabilité de l'État, en d'autres termes, il s'agit d'un dommage attribuable à l'État et, par conséquent, il doit répondre, dans ce scénario, le sujet n'avait pas le devoir de supporter le dommage antijuridique.

En ce qui concerne le Mexique, la Constitution politique se fonde sur l'article 113, section deux, et est interprétée comme suit : en l'absence de législation régissant la responsabilité patrimoniale de l'État, celle-ci s'applique aux États pour répondre aux dommages causés par l'État ; il convient de mentionner qu'il existe une loi réglementaire, mais celle-ci n'est pas applicable, elle ne s'applique qu'aux entités de compétence fédérale. En ce qui concerne le cadre juridique mexicain, le dommage antijuridique n'est pas envisagé dans la Constitution Pohtica, bien qu'elle fasse référence à la responsabilité patrimoniale de l'État, et lorsqu'il n'y a pas de législation, elle est appliquée de manière complémentaire.

Il est également mentionné qu'il existe une loi générale sur les victimes, bien qu'il n'y ait pas de règlement pour l'appliquer aux États, en particulier dans le cas du Chiapas, compte tenu de cette situation, les victimes de privation de liberté ne sont pas protégées, car la voie pour demander une indemnisation est étroite. En ce qui concerne les normes internationales, le Mexique a adopté les conventions et traités internationaux lors de la réforme constitutionnelle du 11 juin 2011, tandis que la Colombie a approuvé les conventions et traités internationaux pour la première fois en 1995 en les dérivant de l'article 93 de la Constitution avec rang constitutionnel. Compte tenu de ce scénario, on peut considérer qu'en matière de droits de l'homme, la Colombie a adopté les normes internationales avant le Mexique, étant donné qu'elle a fait de grands progrès dans la reconnaissance de la protection des droits de l'homme au niveau international.

En revanche, au Mexique, il s'agit d'un régime général applicable aux entités publiques fédérales, c'est-à-dire qu'il n'y a pas de classification du régime applicable pour déterminer le dommage, et pour adapter le cas, en fonction de la nature dans laquelle il s'est produit, en effet, face à cette limitation du régime, les victimes qui cherchent à obtenir une indemnisation pour les dommages causés, il est encore plus compliqué de démontrer la responsabilité patrimoniale de l'État.

Enfin, la situation du Mexique, qui ne dispose pas de mécanismes judiciaires spécialisés en matière de responsabilité patrimoniale de l'État, est comparable à celle de la Colombie, par exemple, qui dispose de mécanismes judiciaires et d'une classification des régimes applicables pour demander à l'État de réparer les dommages causés. Le Mexique, et en particulier le Chiapas, est obligé d'adopter des mesures de protection pour garantir et reconnaître les droits des victimes.

CONCLUSIONS

1. En conclusion, le Mexique, Chiapas, devrait adopter des mécanismes judiciaires pour demander le droit à l'indemnisation pour la réparation du préjudice, dans le cas où l'Etat ne fait pas respecter les droits de l'homme aux individus, cela génère une responsabilité envers l'Etat, pour l'activité administrative irrégulière de l'Etat, Par conséquent, il existe un mécanisme de responsabilité prévu dans le droit constitutionnel et réglementaire, comme la loi fédérale sur la responsabilité patrimoniale de l'État, qui permet de réparer les violations des droits de l'homme, qui relève de la compétence fédérale, et qui est donc limité aux questions administratives et à son application dans l'État du Chiapas.

2. Au Mexique, comme dans le cas de l'État du Chiapas, qui ne dispose pas d'une législation reconnaissant la responsabilité de l'État pour les dommages, je conclus qu'une législation doit être créée pour garantir le droit des habitants du Chiapas et des victimes de privations injustes, et qu'elle doit adopter des mesures de protection maximale des droits de l'homme, pour autant qu'elle reconnaisse dans la Constitution du Chiapas la responsabilité de l'État pour les dommages illicites qui lui sont imputables.

3. Il est nécessaire de proposer une loi de régulation, conformément à la responsabilité patrimoniale de l'État, qui est basée sur la Constitution du Chiapas, strictement applicable

afin que l'État du Chiapas, comme tout autre État de la République, émette sa propre loi en la matière, en s'adaptant aux lignes directrices afin de reconnaître les droits des victimes, et que l'État respecte ses obligations et garantisse également des mesures de non-répétition.

4. En tout état de cause, je reconnais que la société mexicaine présente de plus en plus de cas de victimes de privation de liberté, qui demandent réparation pour les dommages causés par l'État. Dans cette situation, il n'existe pas de régime spécialisé de responsabilité de l'État qui garantisse les droits des victimes et, à cet égard, il est d'une importance vitale de promouvoir la consolidation de la responsabilité patrimoniale de l'État dans le Chiapas, au Mexique.

5. Enfin, l'importance que le Mexique aurait dans le développement de la responsabilité patrimoniale de l'État en incorporant que les États adoptent des réglementations internes pour garantir aux victimes leurs droits humains, ce qui constitue également un apport doctrinal juridique d'importance transcendantale pour le pays.

Colombie

1. La Colombie dispose d'un canal spécial du Conseil d'État chargé de la responsabilité de l'État en cas de privation injuste de liberté, ce qui constitue une question spécifique. De même, les lignes jurisprudentielles relatives à la responsabilité de l'État pour privation injuste de liberté, en relation avec le Conseil d'État, ont statué avec un objectif constitutionnel, et en outre, elles sont conduites à garantir les garanties, dans la mesure où le Tribunal Contentieux et Administratif, les juges, les magistrats travaillent en conformité avec la Constitution Politique de 1991, de la même manière, La Cour du contentieux administratif et le Conseil d'État s'engagent à garantir les droits et les libertés de tous les habitants et à respecter les objectifs sur le territoire colombien. En outre, le Conseil d'État ajoute qu'il rend 14 000 jugements par an, de sorte que cette juridiction garantit les droits de la Constitution et de la loi, en faveur de tous les habitants du territoire national.

2. De même, le pays colombien fait allusion au fait qu'après la vie est le droit le plus important des personnes à la liberté elle-même, c'est précisément pour donner une garantie effective aux habitants du territoire, en effet l'existence d'un régime avec une base constitutionnelle et des développements juridiques étendus, donc les droits consacrés dans la Constitution et les lois de la république, une question se pose : dans quelle mesure l'État peut-il, dans le cadre de la Constitution et de la loi, restreindre, limiter effectivement la liberté de certaines personnes ?

3. Le Conseil d'État, en ce qui concerne la responsabilité patrimoniale de l'État, explique qu'il a développé une jurisprudence depuis avant la dictée de la Constitution politique de 1991, qui régit actuellement, et que, dans une large mesure, la norme constitutionnelle actuellement en vigueur a même été inspirée par ces développements et constructions jurisprudentielles.

Pendant de nombreuses années et décennies, l'idée que l'État colombien est et doit être un État responsable a prévalu, et aujourd'hui cette idée est postulée dans une consécration expresse et positive, aux termes de l'article 90 de la Constitution politique de 1991, qui souligne que l'État doit répondre patrimonialement des dommages anti-juridiques qui lui sont imputables, lorsqu'ils sont causés par l'action ou l'omission des pouvoirs publics.

4. Le modèle constitutionnel actuel de l'État colombien n'est pas un État irresponsable, ce n'est pas un État qui peut causer des dommages, attaquer les habitants du territoire colombien et se réfugier dans l'impunité, parce qu'il ne serait pas appelé à répondre, étant donné que la constitution politique est basée sur une hypothèse différente, et que l'État doit répondre des dommages illégaux qui peuvent lui être attribués, en raison des actions et des omissions des autorités de l'État lui-même.

5. La responsabilité patrimoniale de l'État, dont on sait qu'elle a fait l'objet d'immenses développements doctrinaux, académiques et bien sûr jurisprudentiels, est le thème central de la Constitution politique qui émerge avec vigueur. La responsabilité patrimoniale de l'État, aux termes de l'article 90 de la Constitution politique de 1991, se situe dans l'illégalité du dommage, ce qui signifie qu'elle peut résulter d'actions ou d'omissions de décisions contraires à la loi ou même, dans certains cas, conformes à la Constitution et à la loi, car ce n'est pas l'illégalité du comportement, ce n'est pas l'illégalité des décisions de l'autorité publique, qui compromet la responsabilité patrimoniale de l'État, mais l'illégalité du dommage, de ce point de vue.

6. Conformément à l'article 90 de la Constitution politique de 1991, je pense que l'on peut affirmer que la responsabilité de l'État est consacrée du point de vue des victimes, étant donné qu'il a davantage à l'esprit la victime que le comportement générant le dommage, pour cette raison, à un moment donné, le dommage qu'une personne subit est légal ou illégal, car s'il est illégal et est imputable à l'État, il n'a donc pas le devoir légal de le supporter et il y a une responsabilité envers l'État.

RÉFÉRENCES BIBLIOGRAPHIQUES

Agencia Nacional de Defensa Juridica del Estado (2013). *La privation injuste de liberté : entre le droit pénal et le droit administratif.* Bogota : Agencia Nacional de Defensa Juridica del Estado.

Castro Estrada, A. (2017). LA RESPONSABILIDAD PATRIMONIAL DEL ESTADO EN MEXICO. FUNDAMENTO CONSTITUCIONAL Y LEGISLATIVO. *Instituto de Investigaciones Juridicas de la Unam.* Consulté sur le site https://archivos.juridicas.unam.mx

Catalogue pour la qualification et l'investigation des violations des droits de l'homme de la Commission nationale des droits de l'homme du District fédéral. (10 avril 2017). *Catalago para la calificacion e investigacion de violacion a Derechos Humanos de la Comision Nacional de Derechos Humanos del Distrito Federal.* Consulté sur http://www.yumpu.com

Celemin, Reyes, L., & Roa, Valencia, J. A. (2004). *Responsabilidad Extracontractual del Estado por Provacion*

Injusta de la Libertad. Bogota : Pontificia Universidad Javeriana.

Code civil fédéral. (03 de 04 de 2016). *Codigo Civil Federal.* Mexico : Senado de la Republica mexicana. Tiré de https://www.juridicas.unam.mx

Comisión Ejecutiva de Atencion a Victimas (Commission Exécutive d'Attention aux Victimes) (09 janvier 2013). Mexico, Mexique. Consulté sur le site http://www.ceav.gob.mx

Congrès constitutif (10 avril 2017). *Magna Carta.* Tiré de http://www.diputados.gob.mx

Congrès constitutif (10 avril 2017). *Constitution politique des États-Unis du Mexique.* Extrait de http://www.diputados.gob.mx

Constitution politique de la Colombie (n.d.). Dans F. Gomez Sierra, & Vigesima (Ed.), *Constitucion Politica de Colombia- Anotada* (p. 71). Bogota, Bogota : LEYER. Consulté le 10 avril 2017 sur le site wwww.constitucionpoliticadeColombia.co.

Cour interaméricaine des droits de l'homme (10 avril 2017). *Commission interaméricaine des droits de l'homme.* Consulté sur http://www.oas.org

Département de la documentation législative-SIID (14 juin 2014). *Département de la documentation législative-SIID.* Consulté sur le site https://www.insp.mx

Esparza Martinez, B. (2015). *La reparation del dano (*1 ed.). Mexique : Inacipe. Extrait de http://www.inacipe.gob.mx

Estatuaria Administracion de Justicia, Ley 270,1996. (n.d.). *http://www.alcaldiabogota.gov.co.*

Flores Ramos, A. (2014). Analisis de la Ley General de Victimas, en cuanto a la reparacion del dano por violaciones a los derechos humanos. *FLACSO MEXICO,* extrait de www.Flacso.com

Flores Trujillo, M. H. (2010). *Analisis de las sentencias de la H.Corte Constitucional Colombiana en relacidn con los derechos Humanos.* Récupéré de ttps://es.slideshare.net

Gomez Sierra, F. (2010). *Constitution Politica de Colombia.* Bogota : Leyer.

Gonzalez Noriega, O. C. (8 avril 2017). *Responsabiliad del Estado en Colombia : Responsabilidad por el hecho de las leyes.*

Guerrero, O. J., & Merchan, C. (2013). LA PRIVATION INJUSTE DE LIBERTÉ : ENTRE LE DROIT PÉNAL ET LE DROIT ADMINISTRATIF. *Agencia Nacional de Defensoria Juridica del Estado,* 64. Consulté sur www.defensajuridica.gov.co

Gutierrez, A. (16 mai 2017). *Types de sentences émises par la Cour constitutionnelle colombienne.* Tiré de Gutierrez, Abogados : http://gutierrezabogadosinternational.com.co

Hector, D. A. (2006). *Responsabilidad del Estado y de sus funcionarios* (Vol. tercera Edicion). Bogota, Colombie : Ibanez.

Judicatura, C. S. (2017). *Rama Judicial Republica Colombia.* Extrait de http://sistemagestioncalidad.ramajudicial.gov.co

Loi générale sur les victimes (03 mai 2013). *Diario Oficial de la Federation.* Mexique. Consulté sur le site www.diariooficialdelafederacion.com

Maryse, D. (2010). *La Justicia y la responsabilidad del Estado.* Bogota : Universidad Santo Tomas.

Meneses Mosquera, P. A. (2000). *EVOLUCION JURISPRUDENCE DEL CONSEJO DE ESTADO EN MATERIA DE SEGURIDAD CIUDADANA.* Bogota : (Thèse). Pontificia Universidad Javeriana, Facultad de Ciencias Juridicas. Extrait de Evolucion jurisprudencia del Consejo del Estado en materia de seguridad ciudadana : http://www.javeriana.edu.co

Mosri Gutierrez, M. (2015). ANÁLISIS DE LA LEY FEDERAL DE RESPONSABILIDAD PATRIMONIAL DEL ESTADO Y DE LA LEY GENERAL DE VICTIMAS : DESAFIOS Y OPORTUNIDADES DE UN REGIMEN EN CONSTRUCCIÓN. *Cuestiones Constitutionals, (33),* 133-155.

Nations Unies (12 octobre 1965). Tiré de http://www.un.org

Nader Orfale, R. F. (19 octobre 2010). *EVOLUCIÓN JURIDICA DE LA RESPONSABILIDAD EXTRACONTRACTUAL DEL ESTADO EN COLOMBIA.*

OEA. (10 avril 2017). Consulté sur le site http://www.oas.org

OEA. (10 avril 2017). *Haut-Commissaire des Nations unies aux droits de l'homme.* Consulté sur http://www.ohchr.org

Perez, M. (28 juillet 2009). La responsabilidad patrimonial del Estado bajo la lupa de la jurisprudencia del Poder Judicial de la Federacion. 13-38. Consulté sur le site https://doctrina.vlex.com.mx

pinzon Munoz, C. E. (2016). *La responsabiidad Extracontractual del Estado- Una teoria normativa* (G. I. Carreno, Ed.) Bogota, Colombia : Ibanez.

Le pouvoir judiciaire fédéral. (2016). *Institute de Investigaciones Juridicas de la Unam,* 4. Extrait de http:archivos.juridicas.unam.mx

Prato Ramirez, L. J. (2016). *La responsabilidad del Estado por privacion Injusta de la Libertad en Colombia (*Mémoire de maîtrise). Universidad Colegio Mayor de nuestra Senora del Rosario. Extrait de http://www.repository.urosario.edu.co

Revista Juridica de la Unam (2013). Organizacion del Poder Judicial. *Instituto de Investigaciones Juridicas de la Unam(2),* 36. Consulté sur http://www.juridicas.unam.mx

Rivera Villegas, A. M. (2003). *RESPONSABILIDAD EXTRACONTRACTUAL DEL ESTADO : ANALISIS DEL DANO FISIOLOGICO O A LA VIDA RELACION* (Thèse de doctorat). Pontificia Universidad Javeriana, Faculté de droit et de sciences juridiques, Département de droit public.

Rodriguez R, L. (1997). Estructura del Poder Publico en Colombia. Bogota : Temis S. A.

Saavedra, Ordonez, O. D. (2015). *Altération des conditions d'existence des membres de l'armée nationale blessés au combat ou lors d'opérations militaires.* Bogota : Universidad Millitar Nueva Granada.

Arrêt, 14408, 14408 (1er mars 2006).

Suprema Corte de Justicia de la Nacion (janvier 2013). Extrait de http://sjf.scjn.gob.mx

Suprema Corte de Justicia de la Nacion (Vol. Volume 3). (janvier 2013). Mexico : Suprema Corte de Justicia de la Nacion. Consulté sur le site www.scjn.gob.mx

Suprema Corte de Justicia de la Nacion, Tesis aislada (10 juin 2005). *Suprema Corte de Justicia de la Nacion, Tesis aislada.* Extrait du Seminario Judicial de la Federacion y su Gaceta, Libro XVI.

Torres Herrera, R. (2004). LA RESPONSABILIDAD CVIL COMO ANTECEDENTE DE LA RESPONSABILIDAD PATRIMONIAL DIRECTA Y OBJETIVA DEL ESTADO. EXPÉRIENCE MEXICAINE. *Instituto de Investigaciones Juridicas de la UNAM,* 2. Extrait de www.juridicas.unam.mx

Tribunal supérieur de justice de l'État du Chiapas (6 août 1973). *Tribunal Superior de Justicia del Estado de Chiapas.* Extrait de http://www.poderjudicialchiapas.gob.mx/

[16]Le paragraphe précédent a été considéré comme conforme à la sentence C-225 de 1995, et à la Cour constitutionnelle, rapporteur Alejandro Martinez Caballero.